호르메시스와
간헐적 단식

호르메시스와 간헐적 단식

박용우 지음

블루페가수스

나는 몇 살까지 살 수 있을까?

구순을 앞두신 나의 아버지는 아직도 필드에 나가 골프를 즐기실 정도로 정정하시고, 환갑을 앞둔 나 역시 아직 고혈압, 당뇨병, 고지혈증 같은 질병 없이 좋아하는 술을 즐길 정도로 건강에 자신이 있다.

하지만 한 해 한 해 나이를 먹어갈수록 몸이 달라지고 있음을 느끼고 있다. 운동을 해도 근육이 예전만큼 잘 붙지 않을뿐더러 주량이 줄었고 다음 날까지 숙취가 이어지는 경우가 간간이 있다. 조금만 방심(?)해도 뱃살이 예전보다 쉽게 붙는다. 나뿐만 아니라 50대를 살아가는 인생 동기 대부분이 나와 비슷한 생각을 하고 있지 않을까?

백세시대를 함께 살아가고 있는 내 또래는 물론 젊은 세대들에게도 건강하고 행복한 노년을 맞이하기 위한 준비를 본격적으로 해야 한다는 메시지를 전해주고 싶다.

건강검진을 받는 분들에게 의사로서 검진 결과를 전할 때 간혹 아쉬운 마음이 들 때가 있다. 건강검진의 목적은 암 같은 심각한 질병을 조기에 발견하는 것이 가장 크지만 나중에 중풍이나 치매 같은 혈관합병증이 생기지 않도록 미리 주의하고 관리하기 위한 목적도 무시할 수 없다. 그런데 암이 발견되지 않았다는 결과에만 온통 관심이 쏠려있을 뿐 혈압, 혈당, 콜레스테롤 수치에는 그다지 관심이 없다. 특히 비만치료를 30년 가까이 하다 보니 뱃살을 제대로 관리하지 못해 결국 당뇨병, 심장병으로 이어지는 분들을 보게 되는데, 그때마다 안타까운 마음을 갖지 않을 수 없다.

그뿐만 아니라 의사가 말하는 "담배를 끊고, 뱃살을 빼야 하며, 숙면을 취해야 노후에도 건강을 유지할 수 있다."는 권고는 그냥 흘려 듣는다. 심지어 어떤 분은 내 나이 50에 이 정도면 평균(?) 아니냐며 지방간, 공복혈당 상승, 중성지방 상승 등의 결과를 무시해버린다. 50세에 50세의 몸을 가지고 있다면 70세에는 70세의 몸, 90세에는 90세의 몸으로 살아가게 된다. 50세에 건강을 잘 관리해 30세의 몸으로 만들어놓으면 70세에 50세의 몸, 90세에는 70세의 몸으로 살아갈 수 있는데도 말이다.

각자 주어진 인생을 화려하게 살아내고 난 뒤 인생을 정리하는 노년의 그 소중한 시기에 충만한 정신적 교감과 사회적 교류, 지적인 열망이 아닌 늙고 아픈 몸에 갇혀 하루하루 고통으로 시간을 버리게 된다면 10년, 20년 더 살아 장수하는 것이 무슨 의미가 있으며 인간의 존엄성을 갉아먹는 치매는 또 나를, 내 가족을 얼마나 피폐하게 만들 것인가. 치매에 걸리고 싶은 사람은 아무도 없겠지만 나이가 들어가도 건강관리를 하지 않는다면 대문을 활짝 열어놓은 채 도둑이 들지않기를 바라는 것과 뭐가 다를까.

노년의 인생을 '버티는' 것이 아닌 '건강하게 살아가기' 위한 방법은 아주 쉽고 간단하다. 한 살이라도 젊은 바로 지금 몸 관리를 시작하는 것이다. 즉, 노후의 나의 행복한 삶을 위해 지금부터 건강 마일리지를 꾸준히 쌓아가는 것이다.

젊었을 때는 '타고난' 건강체질이었을지 모르나 50세 이후에는 타고난 체질보다 습관과 생활환경이 건강에 더 크게 작용한다. 선택된 사람만이 노년의 건강을 얻을 수 있는 것이 아니다. 건강은 누구에게나 평등하게 열려있다. 지금부터 꾸준히 건강관리를 한다면 누구나 노년에 가슴 뛰고 설레는 인생을 보낼 수 있다.

이제까지의 경험과 최근까지의 연구결과들을 종합해 볼 때 써카디안 리듬에 맞추어 공복을 유지하고 가끔 간헐적 단식으로 굶는 방식은 한순간의 유행이 아닌, 태고부터 인류의 몸에 고스란히 남아있는 우리의 몸을 건강한 몸으로 되돌리는 과정이다.

이 책에는 그동안 유행 다이어트 중 하나로 인식돼왔던 간헐적 단식이 만병의 근원인 뱃살을 빼는 건 물론 장수까지 선물하는 건강한 생활습관이라는 점에 포커스를 맞추었기에 간헐적 단식에 궁금한 점이 많았던 독자들에겐 가뭄에 단비 같은 즐거움을 줄 수 있으리라 생각한다.

나는 지금도 지적인 호기심이 넘친다. 현대의학의 발달과 함께 또다른 이론이 등장한다면 적극적으로 실천해 보고 내 것으로 만들어 나의 경험을 나눌 생각이다. 꿈과 열정은 젊은이들만의 전유물이 아니지 않은가.

난 아직도 젊다!

2020년 3월

진료실에서 박용우

Content

Hormesis
Intermittent
Fasting

간헐적 단식 효과를 높이기 위한 건강 식사법

Part 1

뱃살을 빼야
건강하게 오래 산다

Hormesis
Intermittent
Fasting

1장

길어진 수명이 선물한 치매

──────── 우리는 몇 살까지 살 수 있을까? 통계청 조사에 의하면 2020년, 우리나라 65세 이상 노인인구는 800만 명을 넘어 전체 인구의 15.7%를 차지한다. 유엔UN에서는 65세 이상 인구가 전체 인구의 14% 이상이면 고령사회, 20% 이상이면 초고령사회로 분류하는데 우리나라는 2025년 초고령사회로 진입한다. 우리보다 한참 앞서 초고령사회로 진입한 일본은 70세 이상 노인인구가 전체 인구의 20%를 넘어섰고 백세 이상 인구도 7만 명이 넘는다.

유엔은 2009년 '세계인구 고령화 보고서'에서 백세 장수가 보편화된 시대의 인류를 '호모 헌드레드Homo hundred'라 명명했다. '보편화'의 기준을 평균수명으로 삼는다면 한국인은 '호모 헌드레드'를 향해 가장 빠르게 나아가고 있다.

백세시대
축복인가 재앙인가

가장 많이 사망하는 연령을 뜻하는 최빈사망연령은 1983년 71세를 기록했으나 2020년에는 90세로 훌쩍 늘어났다. 실제로도 우리 주변에서 90세 이상 어르신들을 어렵지 않게 만날 수 있지 않은가. 그렇다면 60을 앞둔 내가 85세가 되는 시대에서는 65세 이상 노인인구의 약 40%가 80세 이상일 것으로 추정된다. 이제 백세시대를 넘어 120세 시대라고 해도 과장이 아닌 시대가 됐다. 하지만 길어진 기대수명만큼 나는 건강하게 내 노후를 보낼 수 있을까?

2017년, 우리나라를 포함 미국, 영국, 독일, 일본 5개 나라의 행복수명을 조사해 보았다. 행복수명이란 단순히 오래 사는 것이 아닌 궁극적인 삶의 가치인 '행복하게' 오래 사는 기간을 의미한다. 몇 살까지 살 수 있는가를 따지는 물리적 '기대수명'과 달리 여기에는 건강, 경제, 사회적 활동, 인간관계를 포함하고 있다. 우리나라의 기대수명은 일본 다음으로 높은 83.1세였으나 행복수명은 74.6세로 5개국 중 꼴찌를 차지했다.*

기대수명에서 질병이나 불구로 활동에 제약을 받는 시기를 제외한 수명을 의미하는 건강수명도 73.6세로 4위에 머물렀다. 이 말인즉

● 출처: 생명보험사회공헌위 2017

이 세상을 떠나기 전 마지막 9.5년은 병상에 누워있거나 휠체어를 타고 지내야 한다는 뜻이다. 70대에 생을 마감했던 우리의 할아버지 할머니 시대보다 기대수명이 길어진 지금, 우리는 그들보다 더 건강하게 노년을 보내고 있다고 말할 수 있을까?

현대의학의 모순은 바로 여기에 있다. 영아사망률이 줄고 영양상태도 좋아지면서 우리의 평균수명은 꾸준히 늘어가고 있지만 고혈압, 당뇨병, 고지혈증, 동맥경화, 심장병 같은 만성질환 환자들은 과거와 비교해 그 수가 월등히 많아졌다. 살아있는 동안 건강한 몸을 만들지 못해서다.

이 책을 접하고 있는 우리들은 80세를 넘어 최소 20년은 더 살아야하는데 80세 이후에는 중풍, 치매에 걸릴 위험이 커진다. 결국 80세 이후에는 질병이나 합병증으로 병상에 누워있거나 오랜 세월 요양병원에서 생을 마감하길 기다려야 하는 처지가 된 것이다.

우리가 선물 받은 백세시대가 축복이 될지 재앙이 될지를 결정짓는 가장 큰 질병은 바로 치매다. 암은 싸워서 이기든 지든 결정지어지는 기간이 길지 않지만, 치매는 15~20년이라는 긴 기간 동안 치유되지 않는 병을 안고 살아가야만 한다. 치매는 서서히 악화되면서 수명을 다할 때까지 인간의 존엄성을 잃어버린 채 인간다움을 유지하지 못하며 살아가야 하는 무서운 병이다. 무엇보다 치매 환자는 당사자 한 명이지만 그들과 함께 사는 가족이 겪는 정신적, 육체적 고통은 상상을 초월하며 경제적 부담도 무시하지 못한다. 치매 환자를 병간호하던 배우자가 환자와 동반 자살하는 뉴스가 간간이 등장하지만

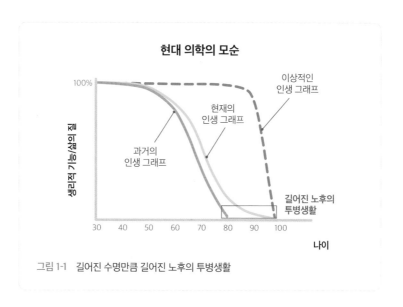

현대 의학의 모순

이상적인
인생 그래프

현재의
인생 그래프

과거의
인생 그래프

생리적 기능(삶의 질)

길어진 노후의
투병생활

30 40 50 60 70 80 90 100

나이

그림 1-1 길어진 수명만큼 길어진 노후의 투병생활

앞으로는 더 큰 사회문제로 자리 잡을지 모른다.

급격하게 고령화가 진행되고 있는 우리나라에서 치매 인구 또한 가파르게 상승하는 중이다. 보건복지부 조사에 의하면 2012년에는 65세 이상 노인인구 중 60만 명이 치매 환자였는데 해마다 20%씩 증가해 2014년에는 100만 명을 넘어섰으며 2041년에는 200만 명을 넘어설 것으로 추산하고 있다. 치매 환자 진료비도 연평균 30%씩 증가하는데 2013년 치매 치료의 사회적 비용이 11조 7,000억 원에서 2050년에는 43조 원을 넘어설 것으로 추산한다. 지금도 85세 이상 노인인구 3명 중 1명은 치매를 앓고 있으며 30년 후에는 50% 이상, 즉 2명 중 1명이 치매를 앓게 된다. 치매 환자를 돌볼 젊은 인구수는 크게 줄어가는데 지금보다 2~3배 이상 치매 환자가 늘어난다면 어떻게 될까? 생각만 해도 마음이 무거워지는 상황이 우리 코앞에 닥쳐 있다.

더 큰 문제는 치매 환자의 증가가 단순히 노인인구의 증가 때문이 아니라는 점이다. 알츠하이머병과 혈관성 치매는 유전적인 요인보다 잘못된 생활습관이 누적되어 발생한다. 게다가 고혈압, 당뇨병, 고지혈증, 동맥경화, 심장병, 비만, 우울증 등 치매로 이어질 수 있는 질병도 과거와 비교해 늘어난 데다 수면과 운동 부족, 스트레스, 오랜 시간 의자에 앉아있는 등의 생활습관에 따른 요인도 치매 발병을 높인다.

인격 살인,
무엇이 치매를 키우는가

그렇다면 치매가 무서운 이유는 무엇일까? 바로 치료가 불가능하기 때문이다. 전 세계 굴지의 제약회사들이 알츠하이머병을 정복하기 위해 막대한 연구비를 쏟아부었지만 대부분 실패로 돌아갔다. 지금 치매 치료에 사용되는 약물도 치매 환자의 기억력과 인지장애를 다소 개선해 질병의 진행을 늦출 뿐 근본적으로 해결하지 못하고 있다. 그런 이유로 예방백신도 없고 치료 약도 없는 치매는 현재로서는 걸리지 않는 게 최선의 예방법이다.

뇌세포 손상으로 인지기능의 장애가 생기고 인격의 변화가 발생하는 증상을 치매라고 하는데 '치매'는 질병이 아닌 증상을 일컫는 말이다. 치매 증상을 보이는 첫 번째 질환이 알츠하이머병으로 전체 치매 환자의 50~70%를 차지한다. 알츠하이머병은 혈관성 치매와 달리 아주 서서히 진행된다. 증상이 나타났을 때는 이미 뇌의 퇴행성 병변이 오랜 시간 동안 진행된 후로, 환자는 대부분 치료가 어려워진 상태가 되어서야 의사를 찾는다.

알츠하이머병의 원인은 아직도 정확히 밝혀지지 않았으나 유발하는 위험인자들은 확인되었다. 첫 번째 위험인자는 만성염증이다. 만성염증을 유발하는 가장 큰 원인은 비만, 그것도 내장지방이 축적된 복부비만이다. 내장지방은 염증유발 물질을 분비하는 비정상적인 지방이다. 뱃살, 특히 내장지방 비만의 축적은 만성염증을 일으켜 노화와 퇴행성 질병을 촉진한다. 만성염증을 유발하는 또 하나의 환경은 바로 장내 미생물의 분포다. 장내에는 유익균과 유해균이 공존하는데 그 균형이 깨져 유해균이 많아지면 유해균이 배출하는 독소로 장누수증후군*이 발생하고 장내 유해균이 만들어낸 독소는 온몸을 돌면서 만성염증을 일으킨다. 우리 몸에 지속적인 염증이 생기면 뇌에 아밀로이드 베타라는 단백질이 쌓인다. 분해되지 않고 축적된 아밀로이드 베타는 뇌신경세포 간 신호전달을 하는 시냅스를 파괴하는데 이것이 알츠하이머병의 시작이다.

두 번째 위험인자는 인슐린저항성이다. 혈당을 조절하는 인슐린

---

* 장누수증후군(leaky gut syndrome): 장내 상피세포는 치밀하게 결합되어 있는데 장내 유해균이 만들어내는 독소에 의해 결합이 느슨해지면 독소나 유해물질이 느슨해진 틈을 통해 몸속으로 들어와 만성염증을 일으킨다.

호르몬에 과부하가 걸리면 작동능력이 떨어지면서 분비량이 늘어나는데 이를 인슐린저항성이라고 한다. 인슐린 분비량이 늘어나면 인슐린 분해효소insulin-degrading enzyme IDE가 바빠진다. 그런데 IDE는 인슐린만 분해하는 게 아니라 뇌의 시냅스를 파괴하는 아밀로이드 베타 단백질 조각도 분해한다. 따라서 인슐린 분비가 많아지면 IDE가 인슐린을 분해하는 데도 벅차 아밀로이드 베타의 축적도 심해진다. 인슐린저항성으로 인해 혈당이 쉽게 떨어지지 않고 고혈당 상태가 오래 유지되면 최종당화산물*이 생기는데 이것도 뇌세포에 손상을 일으키고 아밀로이드 베타의 축적을 가속화한다. 이러한 원리로 알츠하이머를 제3의 당뇨병이라 부르는 것이다. 최종당화산물은 염증반응을 더 악화시키고 산화스트레스를 유발해 동맥경화도 촉진한다.

세 번째 위험인자는 수면 부족이다. 뇌의 하수도 처리시설이라 할 수 있는 글림프계**는 우리가 깊은 잠에 빠질 때 열린다. 글림프계가 청소하는 노폐물 대부분은 바로 알츠하이머병을 일으키는 아밀로이드 베타와 타우단백질이다. 하루 6시간 미만의 수면습관을 가지고 있다면 그만큼 알츠하이머병에 걸릴 위험이 크다고 보면 된다.

치매 증상을 보이는 두 번째 질병인 혈관성 치매는 전체 치매 환

- 최종당화산물(advanced glycation end products, AGE): 당이 결합된 지방이나 단백질을 의미하며 이 물질은 노화와 밀접하게 관련돼 있고 당뇨병, 동맥경화, 만성신부전, 알츠하이머 등 퇴행성 질환을 일으키거나 더 악화시킨다.
- 글림프계(glymphatic system): 뇌에 존재하며 몸속 림프관과 유사한 기능을 해 뇌의 각종 노폐물을 정맥으로 내보낸다. 깊은수면을 취할 때만 열린다.

자의 약 25%를 차지한다. 혈관성 치매는 혈관 노화가 원인이 되어 뇌에 충분한 혈액이 공급되지 않아 발생한다. 심근경색증이나 뇌경색과 마찬가지로 혈관질환 합병증의 결과이므로 고혈압, 흡연, 당뇨병, 고지혈증, 복부비만 등 혈관질환 위험인자들을 철저히 관리하면 치매 예방도 가능하다. 그런 이유로 이런 만성질환에 걸렸다면 약물치료를 통해 혈압, 혈당, 콜레스테롤, 허리둘레 관리를 철저하게 해야 한다. 설사 걸리지 않았다 해도 중풍이나 치매 예방 차원에서 관리해야만 한다.

그렇다면 중풍이나 치매 같은 심각한 질병에 걸리기 전, 내 몸의 변화로 미리 감지할 수 있는 이상 신호는 무엇일까. 나는 뱃살이 바로 그 신호임을 단언할 수 있다. 체중 변화가 없더라도 허리띠 구멍이 뒤쪽으로 늘어나기 시작했다면 뱃살, 특히 복부 내장지방이 축적되어 있을 가능성이 크고 이것이 중풍이나 치매로 이어지는 중요한 원인이 된다.

80세 이후의 건강하고 행복한 인생을 보내기 위해서는 한 살이라도 젊은 오늘부터 내 몸을 관리해야만 한다. 바로 지금 당장 적극적으로 체중관리와 뱃살관리를 시작해야 치매와 중풍이 없는 노년을 보낼 수 있기 때문이다.

뱃살을 빼야 중풍과
치매 없이 오래 산다

앞서 언급한 중풍이나 치매는 대표적인 혈관합병증으로 혈관을 최대한 건강하게 유지해야 80세 이후에도 중풍이나 치매에 걸리지 않는다. 그렇다면 혈관의 노화를 유발하는 중요한 인자는 무엇일까? 바로 만성염증이 그것이다.

벌레에 물리거나 무언가에 찔려 피부에 상처가 나면 벌겋게 부풀어 오르고 통증이 생기는데 그 이유는 염증 때문이다. 염증 자체는

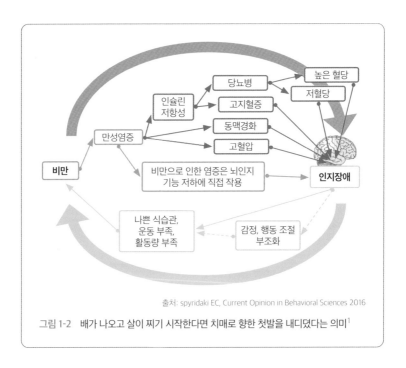

출처: spyridaki EC, Current Opinion in Behavioral Sciences 2016

그림 1-2 배가 나오고 살이 찌기 시작한다면 치매로 향한 첫발을 내디뎠다는 의미[1]

해로운 것이 아니며 우리 몸이 스스로 치유하려는 반응이자, 세균이나 바이러스 같은 외부 침입자를 우리 몸으로부터 방어하기 위한 면역반응으로 이것을 급성염증이라 한다. 그런데 이러한 염증이 만성화되면 어떤 일이 벌어질까.

만성염증은 이상반응을 일으켜 원래 공격대상이 아닌 건강한 조직까지 공격하기 시작한다. 만성염증의 공격에 가장 취약한 곳은 바로 혈관으로, 만성염증이 생기면 혈관은 마치 고속도로를 탄 듯 빠른 속도로 악화하여 노화된다. 혈관 노화란 혈관이 두꺼워지면서 탄력을 잃은 상태를 말하는데 혈관이 좁아져 심근경색이나 뇌경색으로 이어진다. 불행히도 만성염증은 혈관 노화뿐만 아니라 알츠하이머병, 각종 암, 당뇨병, 심장병의 주요 원인이 되기도 한다. 마치 우리 몸의 스트레스와 비슷하다. 외부 환경의 급격한 변화에 반응하여 체내 항상성을 유지하는 것이 급성 스트레스 반응이다. 그런데 스트레스가 만성이 되면 우울, 불면, 면역력 저하 등을 일으켜 우리 몸을 망가뜨리는 요인이 된다.

앞서 만성염증을 유발하는 가장 큰 원인은 내장지방 비만이라고 했다. 내장지방에서 분비되는 염증유발 물질이 만성염증의 주된 원인이라면 뱃살이 점점 심해질 경우 알츠하이머병, 암, 당뇨병, 심장병으로 이어질 수 있다는 말도 된다.

나는 이러한 만성염증을 마른 풀밭에 떨어진 불씨에 비유한다. 불씨가 없는 마른 풀밭에 기름을 부으면 아무런 일도 생기지 않지만, 불씨가 있는 마른 풀밭에 기름을 부으면 활활 타오른다. 마른 풀밭의 기름은 설탕, 트랜스지방, 술, 포화지방 등으로 비유할 수 있는데 이 것들은 건강한 사람에게는 별 영향을 주지 않겠지만 만성염증이 있는 사람에게는 염증을 더 악화시킨다. 이렇듯 똑같이 먹는데도 누구는 살이 찌고 누구는 살이 찌지 않는 이유는 각자 몸 상태가 다르기 때문이다.

만성염증이 일어나는 곳에는 활성산소도 발생하는데 이 활성산소는 노화를 촉진하는 요인이다. 탄수화물의 과잉섭취로 혈당이 높아지는 상황이 이어지면 최종당화산물이 생기는데 이것 또한 노화를 촉진하는 물질이라 했다. 최종당화산물은 활성산소를 발생시키고 염증을 더 악화시킨다. 노화의 주범인 활성산소와 최종당화산물의 기저에 만성염증이 자리 잡고 있다.

만성염증이 혈관노화를 일으킨다면 도대체 만성염증은 왜 생기는 것일까. 만성염증에서 절대 빼놓고 말할 수 없는 것이 바로 비만이다. 특히 복부 내장지방은 만성염증을 일으키는 주요 원인으로, '살이 찐다'는 말을 더 정확히 말하자면 '몸속 지방이 늘어나는 것'이다. 에너지 소모량보다 더 많은 에너지가 우리 몸으로 들어오면 에너지는 지방으로 전환되어 지방세포에 축적된다. 정상 지방세포는 직경 0.05~0.08mm 크기의 구형인데 지방이 쌓이면 직경은 1.5배, 무게는 2배 이상 증가한다. 지방세포가 빵빵해져 더 이상 지방을 흡수하지 못하면 새로운 지방세포들이 만들어지는데 정상체중을 가진 사람의 지방세포가 100~300억 개라면 뚱뚱한 사람의 지방세포는 800~1,000억 개로 늘어난다. 문제는 지방세포가 빵빵해지면 성질이 바뀐다는 데 있다.

정상 지방조직에는 염증을 억제하는 아디포넥틴이라는 물질이 분비된다. 그런데 빵빵한 지방조직에서는 염증을 유발하는 TNF-α, 인터루킨-6, 레지스틴 같은 물질이 분비된다. 이 물질들은 살이 찌면 찔수록 더 많이 분비되는데 그중에서도 특히 염증 유발물질을 가장 활발하게 내보내는 곳이 바로 내장지방이다. 쉽게 말하자면 뱃살은 만성염증을 일으키고, 만성염증은 혈관 노화와 합병증으로 진행되니 뱃살을 빼야 중풍과 치매에 걸리지 않는다는 주장은 과장이 아닌 셈이다.

2장

비만치료의
패러다임을 바꿔라

───────── 새해가 되면 많은 사람이 건강을 1순위로 꼽고 운동을 시작한다. TV 건강프로에서도 저탄고지, 간헐적 단식, 1일 1식 등의 각종 다이어트 방법들이 경쟁적으로 소개되고 있고, 비만치료약물 종류도 늘고 있다. 병·의원, 한의원 등의 비만클리닉은 어디에서도 우후죽순으로 늘어만 가고, 헬스클럽 역시 동네 구석구석 없는 곳이 없어 언제든 이용할 수 있다. 과거와 비교하면 요즘처럼 살 빼기 쉬운 환경은 없을 것이다. 그런데도 왜 비만인구는 해마다 늘어만 가고 특히 고도비만 환자들의 증가가 두드러지는 것일까?

오래 살고 건강한 노년을 맞이하려면 뱃살부터 빼야 한다. 그러기 위해서는 왜 살이 찌고, 비만인구는 왜 꾸준히 증가하는지 그 이유를 먼저 분석해야 해법이 나온다.

비만은 수명을
단축한다

　비만은 어떠한 위험을 가진 것일까? 서양의학의 아버지 히포크라테스는 "마른 사람보다 살찐 사람에게 갑작스러운 죽음이 더 많다."라고 이미 언급했다. 많은 연구결과에 의하면 정상체중을 가진 사람이 70세까지 생존할 확률을 80% 정도로 본다면, 비만인 사람은 그 확률이 60% 아래로 떨어진다고 한다. 평균수명이 4살이나 줄어들고, 고도비만의 경우에는 8~10살이나 수명이 단축된다.[2]

　비만은 당뇨병과 심혈관질환의 중요한 위험인자이다. 그래서 비만인 사람은 치매에 걸리기도 쉽지만 다른 만성질환 합병증으로 이어질 위험도 증가한다. 만성신부전을 앓는다면 혈액투석을 해야 하고, 퇴행성관절염을 앓는다면 외출하기 만만치 않다. 중풍에 걸리면 간병인의 도움을 받아 여생을 살아야 한다. 평균수명이 줄어들 뿐만 아니라 노후의 삶의 질 또한 크게 떨어진다.

　그런 이유로 체중을 줄이는 일도 중요하지만 무엇보다 뱃살을 먼저 빼야만 한다. 뱃살, 특히 복부 내장지방 비만이 비만 관련 질환으로 이어지는 중요한 연결고리이기 때문이다. 한때 '비만의 역설'이라는 말이 있었는데 정상 체중을 가진 사람보다 적당히 살이 찐 과체중의 사람이 더 오래 산다는 의미다. 덴마크 코펜하겐 대학 연구팀이 코펜하겐시에 거주하는 사람들의 사망자료와 체중과의 관계를 조사해 보니 비만의 정도를 표시하는 체질량지수BMI*가 27인 사람들의 사망위험이 가장 낮았다. 체중이 증가할수록 사망위험은 증가했지만, 반대로 체중이 정상이고 체질량지수가 25 미만인 사람들은 오히려 사망위험이 높았다.[3]

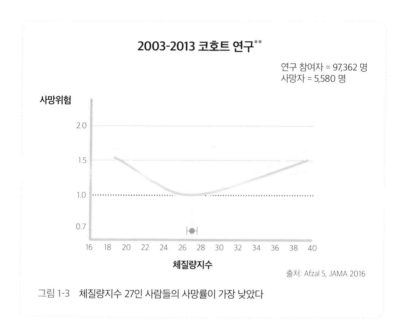

그림 1-3　체질량지수 27인 사람들의 사망률이 가장 낮았다

이 결과를 어떻게 해석해야 할까. 의사인 내 견해를 말하자면, 체중만으로는 수명을 결정하는 데에는 한계가 있다고 본다. 나이가 들면 우리 몸은 생리적으로 지방이 증가하고 근육량이 줄어든다. 특히

• 체질량지수(BMI): 체중을 키의 제곱으로 나눈 값

•• 코호트 연구(Cohort Study): 전향적 추적조사

나이가 들수록 복부 내장지방, 근육내지방이 늘어난다. 그래서 나이가 들어서 체질량지수가 정상수치 23~25인 사람 중에는 상대적으로 근육량이 부족하고 뱃살이 더 많이 나온 이른바 '마른 비만' 환자들이 포함될 가능성이 크다.

그림 1-3에서 체질량지수가 27일 때 사망위험을 1이라고보면, 27보다 체질량지수가 클수록 사망위험은 증가한다. 비만일수록 수명이 짧아지는 건 분명한 사실이다. 그렇다면 왜 최저 사망위험이 정상체중군인 25 미만이 아닌 27이고, 27보다 작을수록 사망위험이 증가할까.

나이가 들수록 생리적으로 지방이 늘어나고 근육은 줄어든다. 따라서 정상체중군인 25 미만인 사람 몸은 지방이 많고 근육량이 부족한 사람들이 많이 포함되어 있을 가능성 역시 크다. 체질량지수가 낮은 저체중군이 비만군 못지않게 사망률이 높아지는 이유는 부족한 근육량이 과다한 체지방 못지않게 건강에 해롭다는 의미가 된다.

그래서 현대의학은 체중보다 허리둘레에 더 의미를 두고 본다. 체중이 많이 나간다 해도 대사이상이나 심혈관 위험인자가 없는 '건강한 비만'이 있는가 하면, 체중은 정상범위 안에 있음에도 혈압, 혈당, 콜레스테롤 등의 수치가 높고 지방간, 복부 내장지방 비만 등을 보이는 '마른 비만'도 있기 때문이다.

비만 전문가인 내 생각을 말하자면 뚱뚱해야 오래 사는 것이 아니라 뱃살을 관리하고 근육량을 적당히 유지해야 오래 산다. 지금 당장 뱃살을 빼고 허리둘레를 줄여야만 노후의 삶의 질도 좋아질 수 있다.

비만은 '질병'일까
'질병의 위험인자'일까

세계보건기구^{WHO}에서는 1998년, 이미 비만을 만성질병으로 규정 지었다. 사람들에게 "비만이 질병이라고 생각합니까?"라는 질문을 던 지면 70~80% 비율로 비만이 질병이라는 데 동의한다.[4] 그런데 질문 을 살짝 바꿔보면 대답이 달라진다.

"비만은 질병일까요, 질병의 위험인자일까요?"

조금 힌트를 주자면 "고혈압, 당뇨병, 심장병은 질병입니다. 흡연, 음주, 스트레스, 수면 부족은 질병의 위험인자죠. 그렇다면 비만은 질 병 쪽일까요, 질병의 위험인자 쪽일까요?" 독자들의 생각은 어느 쪽 인가.

힌트를 들으면 보통은 "질병까지는 아니고 질병의 위험인자가 맞 는 것 같네요." 이렇게 대답이 바뀌는 경우가 대부분이다. 그렇다면 '질병'과 '질병의 위험인자'의 차이는 무엇일까. 나는 그 차이를 '본 인의 의지와 노력으로 해결 가능한 문제인가, 아닌가'가 중요한 감별 포인트라고 생각한다. 흡연을 예로 들어보면 담배는 끊기가 쉽지 않 다. 하지만 본인의 의지와 노력으로 얼마든지 끊는 게 가능하다. 내가 대학생이던 시절만 하더라도 우리나라 남성 흡연율은 70%를 넘었지 만 지금은 37%까지 떨어졌다. 담배뿐만이 아니라 음주, 스트레스, 수 면 부족…. 조절하기 쉽지 않겠지만 본인의 의지와 노력으로 충분히 해결할 수 있는 문제들이다. 그렇다면 고혈압은 어떨까?

40세인 직장인 A 씨는 올해 건강검진에서 혈압이 150/90mmHg로 올라 고혈압 진단을 받았다. 2년 전만 해도 120/80mmHg로 정상을 유지했던 혈압이 불과 2년 사이에 그렇게 올라간 것이다. 그렇다면 고혈압도 본인의 의지와 노력만으로 다시 정상 수준인 120/80mmHg 아래로 끌어내려 유지할 수 있을까? 물론 저염식을 철저하게 따르고, 규칙적으로 운동하면서, 숙면도 취하고, 스트레스 받지 않는 생활을 유지한다면 약물치료 없이도 혈압을 정상으로 만들 수 있다. 하지만 떨어뜨린 혈압을 평생 정상수준으로 유지할 수 있을까. 앞서 말한 생활습관을 예외 없이 평생 실천하지 않는 한 혈압은 다시 슬금슬금 올라갈 것이다. 내 의지와 노력만으로 혈압을 정상수준으로 평생 유지한다는 건 결코 쉬운 일이 아니다. 결국 의사를 찾아가 약물처방을 받고 지속해서 관리를 받아야 정상혈압을 유지할 수 있다.

　이해되었다면 다시 비만으로 돌아가 보자. 본인의 의지와 노력만으로 비만에서 벗어나 예전 리즈시절 몸무게를 되찾고 평생 그 체중을 유지할 수 있을까? 이게 가능하다면 비만은 질병의 위험인자가 맞다. 하지만 불행히도 비만은 본인의 의지와 노력만으로 해결되는 문제가 아니다. 쉽게 예를 들어보자. 늘어난 체중을 초인적인 의지력을 발휘해 15kg 이상 감량했다고 가정해 보자. 과연 다이어트에 성공한 것일까. 담배를 예로 들어보면 어제까지 담배를 피우던 사람이 오늘 하루 담배를 끊었다고 금연에 성공했다 말할 수 있을까. 당연히 금연을 지속해야 금연에 성공했다 말할 수 있을 것이다. 그렇다면 어제까지 15kg 체중 감량에 성공했다고 해서 오늘부터 다이어트를 중단하면 어떻게 될까? 야금야금 체중이 늘어나기 시작해 원래 체중으로 돌아갈 것이다. 아니, 처음 다이어트 시작 때보다 체중과 체지방이 더 늘어나며 끝난다.

처음부터 혈압이 120/80mmHg였던 사람과, 150/90mmHg까지 올라간 혈압을 식이요법과 체중조절, 운동으로 가까스로 120/80mmHg로 떨어뜨려 유지하는 사람의 몸은 완전히 다른 몸으로 봐야 한다. 한 번 올라간 혈압은 평생 꾸준히 관리하지 않으면 다시 올라가고 만다. 마찬가지로 체중 65kg을 유지하는 사람의 몸과, 80kg까지 살이 쪘다 65kg으로 돌아온 사람의 몸 역시 완전히 다른 몸이다. 내 몸은 20대 초반 때의 몸무게로 돌아왔지만 정작 내 몸은 그렇게 기억해주지 않는다. 평생 '건강 모범생'으로 살아가지 않는 한 체중은 다시 예전의 풍요로웠던(?) 몸으로 돌아가고 만다.

그래서 비만은 질병의 위험인자가 아닌 고혈압, 당뇨병과 마찬가지로 질병으로 규정해야 한다. 우리의 의지와 노력만으로는 예전 몸무게로 쉽게 돌아가지 못한다는 뜻이다. 하지만 이 말을 듣고 실망하거나 다이어트를 포기해서는 안 된다. 아니, 더 적극적으로 체중을 줄이기 위해 노력해야 한다. 왜? 이미 뚱뚱해진 사람은 앞으로 체중이 더 늘어날 것이 확실하기 때문이다.

'직장생활을 시작한 후 체중이 전보다 10kg 이상 늘었다. 다이어트를 해 보지만 그때뿐, 체중은 다시 늘어난다. 올해만 해도 벌써 3kg이 더 늘었다. 이제는 몸이 불편해 살을 빼야겠다는 생각을 하지만 요즘은 회사 일로 너무 바쁘다. 프로젝트도 끝내야 하고 모임도 많다. 그래, 올해는 이미 다 지나갔으니 내년에 시간 날 때 헬스클럽에 등록해 운동하고 식이조절도 해서 살을 빼야지.'

이런 생각을 하는 사람들은 비만을 질병의 '위험인자'로 인식하는 경우다. 언제든 마음만 먹으면 본인의 의지와 노력으로 뺄 수 있다고 생각한다. 그렇게 다이어트를 미루는 동안 체중은 내 의지와 상관없이 계속 늘어만 간다. 내년에 시작하는 다이어트는 지금 당장 시작하는 다이어트보다 효과도 떨어진다. 질병은 하루라도 일찍 치료할수록 치료 효과가 더 좋기 때문이다. 미루지 말고 지금 당장 다이어트를 시작해야 하는 이유는 '비만은 질병'이기 때문이다. 차일피일 미룰수록 체중이 더 늘어나면서 비만이란 질병은 더욱 악화된다. 그렇다면 지금이 내 인생 최고의 체중일까? 천만에, 이미 살이 찐 사람은 앞으로도 내 의지와 상관없이 더 찌게 된다.

우리들은 지금 나의 체중이 절대 더 늘어나지 않을 것이라는 환상에서 빨리 벗어나야 한다. 인생 최고의 몸무게 기록을 갱신해서는 안 된다. 지금 바로 살을 빼기 시작해야 한다!

적게 먹는 다이어트, 비만 악화로 이어지는 지름길

아직도 비만치료의 정석은 저칼로리 식이요법과 유산소운동이다. '적게 먹고', '운동해서' 비만에서 벗어날 수 있다면, 흡연율이 큰 폭으로 감소했듯 비만인구 또한 큰 폭으로 줄었어야 한다. 그런데 이와 반대로 비만인구는 해마다 늘어만 간다. 무엇이 잘못된 것일까?

우선 적게 먹다 보니 넘쳐나는 식욕을 감당하지 못한다. 식약처 허가를 받은 비만치료제 대부분은 식욕을 조절하는 식욕억제제이며, 한의원에서 처방하는 약제의 마황성분도 결국 식욕억제 효과로 체중을 감량하는 원리다. 하지만 이런 방법으로 저칼로리 식이요법을 계속하다 보면 몸은 더 망가지면서 요요현상까지 생기고 심지어는 체중이 처음보다 더 늘어난다. 평소 섭취량에서 의도적으로 칼로리를 낮춰 식사량을 줄이면 내 몸에선 어떤 일이 벌어질까? 이제부터 저칼로리 다이어트의 문제점을 짚어보자.

지금까지 교과서에 기술된 비만의 식이요법은 지속적인 저칼로리 식이Continuous Energy Restriction Diet다. 평소 섭취 칼로리보다 500~750칼로리 줄이거나, 평소 섭취량의 30% 정도 적게 섭취하는 방법이다. 여기에 규칙적인 운동이 추가된다. 하지만 이 다이어트 방법의 가장 큰 문제점은 지속하기 힘들다는 데 있다. 게다가 시간이 지날수록 체중 감량 폭이 줄어들면서 적게 먹어도 더는 체중의 변화가 없는, 흔히 말하는 '정체기'가 찾아온다.

지금까지의 임상연구 결과들을 살펴보면 어떠한 방법의 다이어트를 시행한다 해도 3개월 이상 지속하기 쉽지 않을뿐더러, 연구원들의 적극적인 통제하에 6개월 이상 다이어트를 실천한다 해도 6개월 이후부터 체중 추이는 평행선을 그릴 뿐 더는 떨어지지 않는다.[5]

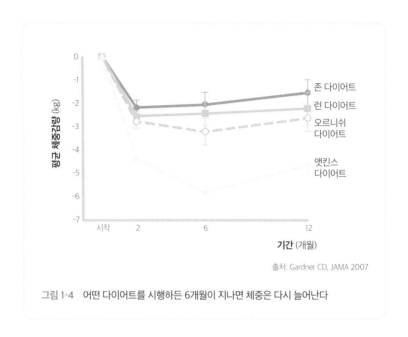

출처: Gardner CD, JAMA 2007

그림 1-4   어떤 다이어트를 시행하든 6개월이 지나면 체중은 다시 늘어난다

이는 우리 몸이 바뀐 환경변화에 대처하기 위한 일종의 적응반응 adaptive responses 때문이다. 이론적으로 평소 섭취량보다 적게 먹고, 운동으로 소비에너지를 늘리는 치료를 지속하면 궁극적으로 체중은 0이 되어야 한다. 60kg인 사람이 일주일에 1kg씩 감량하는 비만치료를 60주 이상 지속하면 정말 체중이 0이 될까? 우리 몸의 적응반응이 적극적으로 작동하기 때문에 이런 일은 절대 일어나지 않는다.

그렇다면 매일 배고픔을 참아가며 평소보다 적게 먹으면 어떻게 될까. 우선 음식의 갈망이 더욱 강렬해진다. 배고픔 신호는 더 자주, 더 강하게 온다. 기력이 없으니 신체활동량도 줄어들고, 무엇보다 우리가 흔히 말하는 기초대사량과 비슷한 개념인 안정시대사율이 떨어진다. 음식이 평소보다 적게 들어오니 에너지소모를 최대한 아끼겠다는 생존을 위한 우리 몸의 적응반응이 작동하는 것이다.

호르몬의 변화도 나타난다. 우선 스트레스호르몬인 코르티솔 호르몬이 증가한다. 지속해서 식사량이 적게 들어오는 환경은 우리 몸에서 스트레스로 작용할 수밖에 없다. 단 음식이 평소보다 더 당기게 되고 불면증도 생기는 건 이 때문이다. 그다음으로 렙틴 호르몬 분비량이 줄어든다. 지방세포에서 분비되는 렙틴 호르몬은 식욕을 억제하는 작용을 한다. 그런데 적게 먹어 체지방이 줄어들면 렙틴 호르몬 분비 또한 줄어드니 식욕은 평소보다 더 강하게 올라오게 된다. 게다가 평소보다 포만감을 느끼지 못하다 보니 포만감 신호에 둔감해져 과식이나 폭식을 하면 평소보다 엄청난 양의 음식을 먹게 된다. 마지막으로 갑상샘 호르몬 분비량이 줄어든다. 신진대사를 조절하는 갑상샘 호르몬이 줄어들면 몸이 잘 붓고 쉽게 피곤해지며 손발이 차고 몸이 무겁게 느껴진다. 갑상샘 호르몬이 줄어들면 우리 몸의 생존전략이 발동돼 에너지 소모를 줄이기 위해 안정시대사율이 떨어지고 신진대사 속도도 떨어진다.

이런 변화를 통해 적응반응이 본격적으로 작동하면 지방은 쉽게 빠지지 않으면서 오히려 근육량이 조금씩 꾸준히 줄어든다. 비만인 사람에게 나타나는 이런 적응반응은 체중의 6~10%만 빠져도 나타나기 시작한다.

결국 아무리 잘 짜인 생활습관 개선 프로그램을 시행한다 해도 적응반응 때문이기도 하거니와 6개월 이상 철저하게 다이어트를 실천한다는 건 현실적으로 어려운 일이다. 전문가들은 이를 수학적 모델로 풀어 입증하기도 했다.[6] 아무리 노력한다 해도 다이어트 기간이 6개월이 지나면 체중은 더는 빠지지 않고 평행선을 그리거나 야금야금 늘어난다.

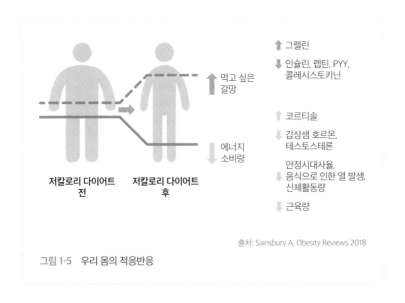

그림 1-5 우리 몸의 적응반응

출처: Sainsbury A, Obesity Reviews 2018

지속해서 적게 먹는 행동은 곧바로 적응반응을 발동시키겠다는 자극 신호가 된다. 그 신호를 시작으로 안정시대사율은 계속 떨어지고 식욕은 반대로 시도 때도 없이 강하게 올라온다. 결국 체중이 다시 늘어나는 건 당연한 현상이다. 그래도 초인적인 의지력을 발동해서 식욕도 참아보고 신체활동량 역시 억지로 늘린다면 체중을 줄일 수 있지 않을까. 하지만 갑상샘 호르몬 분비가 감소하면서 떨어져 버린 안정시대사율은 내 의지로 해결하는 데 한계가 있다. 우리 몸의 본능적인 적응반응을 의지력으로 극복할 수 없다는 이야기다. 심지어 체중이 다시 늘어나도 다이어트 이전 체중에서 멈추는 것이 아닌 더 늘어난 상태에서 끝나고 만다. 결국 근육량은 처음보다 더 줄어 있고 체지방은 더 늘어나 있다. 이를 악물고 또다시 다이어트를 시작해 보지만 예전같이 잘 빠지지 않는다. 한 번 '위기상황(?)'을 겪은 우리 몸이 이미 체중의 '세트포인트'를 상향 조정시켜놓았기 때문이다.

연구자들마다 일치된 견해를 보이지는 않지만 적응반응을 최소화하기 위한 다양한 연구결과를 말하자면 다음과 같다. 첫 번째, 체중 감량 속도다. 체중감량 속도가 느릴수록 적응반응을 완화할 수 있다는 말이다. 하지만 다이어트 초기인 첫 1~2개월에 많은 체중을 감량하는 것이 길게 봤을 때 더 유리하다는 주장이 더욱 설득력 있다.[7] 두 번째, 단백질 섭취량이다. 단백질 섭취량이 많을수록 적응반응이 완화된다는 말이다. 실제로 혈중 렙틴 호르몬 분비량 감소와 안정시대사율 감소를 완화한다는 연구결과도 있다.[8]

그렇다고 체중감량 속도를 늦춰 천천히 빼려 하면 다이어트 기간도 길어지면서 쉽게 지치고 만다. 저칼로리식을 계속해 체중이 천천히 감량된다고 하더라도 더는 체중감량이 되지 않는 순간, 즉 정체기가 찾아오게 마련이다. 그렇다면 식욕억제제나 한약의 힘을 빌려 장기적으로 적게 먹는다면 어떻게 될까?

입맛을 떨어뜨려 체중은 줄겠지만 떨어진 안정시대사율은 회복되지 않는다. 내 몸이 원하는 수준 이하로 식사량을 줄이니 근육손실은 피할 수 없는 결과다. 단백질 부족으로 피부탄력은 떨어지고 몸이 쉽게 붓는다. 백혈구 수치가 감소하고 면역력이 떨어진다. 머리카락이 가늘어지고 탈모가 온다. 골밀도가 줄어들어 골다공증의 위험이 증가한다. 아무리 약을 오래 먹는다고 해도 6개월에서 1년이 지나면 체중감소는 더는 일어나지 않는다. 약물섭취를 중단하면 기다렸다는 듯 폭식과 함께 체중은 다시 증가한다. 근육량은 처음 시작 때보다 더 줄어 있고 체지방은 처음 시작 때보다 더 늘어나 있다. 다시 다이어트를 시도해도 이전만큼 체중이 줄어들지 않는다. 이런 다이어트를 반복하면 할수록 체중은 처음보다 더 늘어나고 살이 빠지지 않는 체질로 바뀌면서 결국 다이어트를 포기하게 되는 것이다.

무조건 적게 먹고 살을 빼려는 잘못된 다이어트 방법이 난무하면서 오히려 비만인구가 더 늘었다는 나의 주장은 지나친 비약일까?

비만치료의 패러다임이
바뀌어야 한다

앞서 섭취칼로리를 낮춰 적게 먹는 저칼로리 다이어트 방법은 실패할 수밖에 없다고 알아보았듯이 지금껏 '칼로리'를 금과옥조로 생각했던 예전 다이어트 패러다임에서 이제는 벗어나야만 할 때다. 그렇다면 어떻게 먹어야 다시 살찌지 않는 몸을 만들 수 있을까?

첫 번째, 공복시간을 철저히 유지해야 한다. 우리는 매일매일 짧은 단식을 한다. 저녁 식사 후 다음 날 아침을 먹을 때까지 12시간 공복상태를 유지한다. 아침 식사를 영어로 breakfast라고 하는 건 짧은 단식fast을 깬다break는 의미다. 12시간의 단식은 우리 몸의 써카디안 리듬circadian rhythm을 유지하는 데 아주 중요하다. 우리 몸은 24시간을 주기로 낮과 밤의 신진대사가 각각 달라진다. 이를 써카디안 리듬이라고 하는데 우리에겐 생체리듬 혹은 생체시계라는 표현이 더 익숙하다. 이 써카디안 리듬에서 착안된 다이어트가 시간제한 다이어트 Time-Restricted Eating, TRE다.

2부에서 자세히 다루겠지만 먼저 간단히 말해 보자면 시간제한 다이어트는 써카디안 리듬의 토대에서 나온 방법이다. 뇌의 중추 생체시계는 음식 섭취에 관여하는 영양소 감지회로와 밀접하게 연결되어 있다. 대부분 동물은 깨어있는 특정 시간대에 음식을 섭취하고 수면에 들어가는 일정 시간대에는 단식한다. 뇌의 생체시계는 빛의 자극으로 낮과 밤을 구별하고, 우리 몸의 다른 장기들의 생체시계는 음식이 들어오는가 아닌가로 낮과 밤을 구별한다. 그래서 뇌의 중추 생체시계와 몸속 장기들의 생체시계는 싱크로나이즈synchronized 되어야 건강이 유지된다. 이 흐름이 12시간 간격으로 일정하게 유지되어야 신진대사가 무너지지 않는다. 그런 이유로 빛의 자극이 들어오는 활동시간에는 음식을 먹지만 빛의 자극이 없는 휴식과 수면시간에는 음식을 먹지 말아야 한다. 12시간 공복을 잘 유지하는 생활습관으로 바꾸기만 해도 체중은 더 늘지 않는다.

두 번째, 간헐적으로 단식해야 한다. 앞서 지속적인 저칼로리 다이어트는 몸에서 적응반응을 불러일으켜 정체기를 만들고 결국 요요현상을 초래한다고 말했다. 그렇다면 지속해서 적게 먹는 다이어트가 아니라 잘 먹다가 간간이 간헐적으로 적게 먹는 다이어트를 하면 어떻게 될까?

호주의 누알라 번Nuala Byrne 연구팀은 비만인 남성들을 대상으로 매일 적게 먹는 지속적 저칼로리식 그룹과, 간헐적으로 적게 먹는 간헐적 저칼로리식 그룹으로 나누어 결과를 관찰했다.[9]

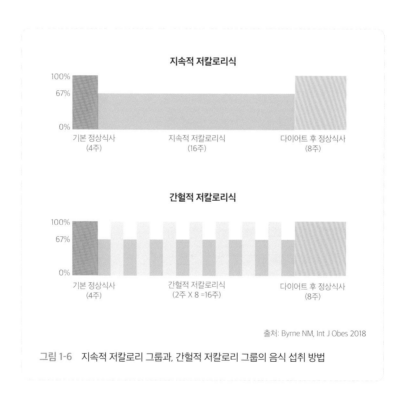

출처: Byrne NM, Int J Obes 2018

그림 1-6 지속적 저칼로리 그룹과, 간헐적 저칼로리 그룹의 음식 섭취 방법

지속적 저칼로리식 그룹에는 16주 동안 평소 음식 섭취량의 67%를 공급했고, 간헐적 저칼로리식 그룹에는 16~30주 동안 2주간의 일반식과 2주간의 저칼로리식 음식으로 번갈아 실험했다. 결과는 어땠을까.

간헐적 저칼로리 그룹은 지속적 저칼로리 그룹과 비교해 체중이 무려 53%나 더 감량되었다*. 또한 다이어트 실험을 종료하고 6개월간 자유롭게 식사하게 한 뒤, 다시 조사해 본 결과에서도 간헐적 저칼로리 그룹이 상대적으로 체중이 다시 늘어난 폭이 작았다. 연구 시작 시점에서 종료 시까지, 간헐적 저칼로리 그룹이 지속적 저칼로리 그룹과 비교해 체중감량 폭도 훨씬 더 컸다.** 왜 그러한 결과가 나타났을까.

연구자들은 지속적 저칼로리식 그룹의 경우 적응반응에 의해 안정시대사율이 떨어졌지만, 간헐적 저칼로리식 그룹은 적응반응이 상대적으로 덜 나타나 안정시대사율의 감소가 적었기 때문으로 보았다. 매일 적게 먹으면 몸이 위기상황으로 인지하고 그 환경에 대처하는데, 잘 먹다가 간간이 적게 먹는다면 우리 몸은 위기상황으로 인지하지 않는다는 말이다.

이 연구 결과는 남성뿐 아니라 여성에게서도 비슷하게 나타났는데 폐경전 비만인 여성들을 대상으로 한 연구에서도 간헐적 저칼로리

- 간헐적 저칼로리 그룹과 지속적 저칼로리 그룹의 평균 체중 감량은 각각 13.4kg vs 8.5kg
- 간헐적 그룹과 지속적 그룹의 체중 감량 폭은 각각 11.1kg vs 3.04kg

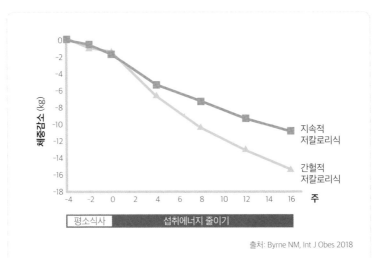

그림 1-7　간헐적 저칼로리 그룹이 지속적 저칼로리 그룹과 비교해 체중감량 폭이 더 컸다

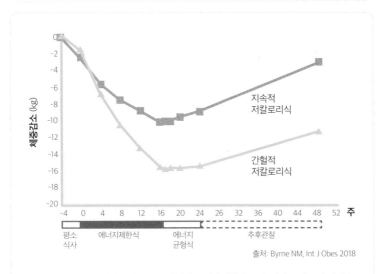

그림 1-8　간헐적 저칼로리 그룹은 다이어트 임상시험이 끝난 뒤에도 체중이 다시 늘어나는 폭이 상대적으로 훨씬 적었다

그룹이 지속적 저칼로리 그룹과 비교해서 체중감량 폭이 더 컸다.[10]

　이러한 연구 결과를 보더라도 잘 챙겨 먹다가 간간이 저칼로리식을 하면 안정시대사율이 떨어지지 않아 체중감량에 훨씬 유리하고 체중이 다시 늘어나는 요요현상도 지속해서 적게 먹은 경우보다 훨씬 덜하다. 그렇다면 간헐적 저칼로리식보다 간헐적 단식은 어떤 결과가 나타날까.

　일정 시간 굶고 일정 시간 먹는 간헐적 단식이 간헐적 저칼로리의 경우처럼, 안정시대사율이 떨어지지 않으면서도 간헐적 저칼로리식보다 체중과 체지방 감량 폭이 훨씬 더 크다면 어떠할까? 게다가 단식의 영향으로 인슐린저항성을 개선하는 효과가 더 두드러지게 나타난다면? 덧붙여 단식 자체가 주는 긍정적인 효과인 항노화 효과까지 얻을 수 있다면 어떨까?

　뱃살이 빠지는데 수명까지 길어져 더 건강한 노후를 맞이하게 만드는 다이어트 방법이 있다면 이 매력적인 방법에 사람들이 관심을 갖는 건 당연하지 않을까.

Part 2

써카디안 리듬과
시간제한 다이어트

Hormesis
Intermittent
Fasting

1장

써카디안 리듬과
생체시계

————— 다이어트는 유행을 탄다. 2013년 방송을 통해 알려진 간헐적 단식의 유행은 지금도 현재 진행 중이다. 2016년 방송에서 소개된 저탄고지(저탄수화물 고지방) 다이어트는 한때 버터가 동이 날 정도로 유행했지만 지금은 그 열기가 가라앉은 상태다. 2017년에는 시간제한 다이어트가 소개되었지만 크게 유행하지 않았다. 그렇다면 2020년에는 어떤 다이어트가 유행할까. 조심스럽게 간헐적 단식이 또다시 열풍을 불러일으킬 것으로 추측해 본다. 간헐적 단식은 시간제한 다이어트와 연결되어 있고, 시간제한 다이어트는 써카디안 리듬의 토대에서 등장한 방법이다. 따라서 써카디안 리듬과 생체시계를 먼저 이해해야 간헐적 단식으로 자연스럽게 이어질 수 있다.

써카디안 리듬,
생명체들의 시계

지구상의 모든 생명체는 써카디안 리듬을 가지고 있다. 1728년 프랑스 과학자 장 자크 도르투 드 메랑Jean-Jacque d'Ortous de Mairan은 미모사Mimosa pudica의 잎사귀가 햇빛을 따라 움직이는 것에서 24시간 주기의 패턴이 있음을 관찰했고, 심지어 햇빛이 없는 어두운 곳에 미모사를 두고 관찰해도 일정한 패턴으로 움직이는 것을 확인했다.

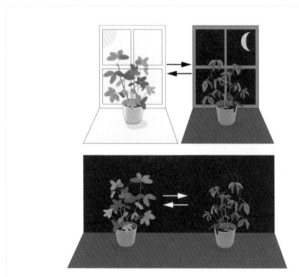

출처: 노벨상위원회

그림 2-1　미모사 잎은 낮에는 태양을 향해 열리다가 밤이 되면 닫힌다. 장 자크 도르투 드 메랑은 빛과 상관없이 미모사 잎이 하루 주기에 따라 열렸다 닫힌다는 사실을 발견했다

이러한 생명체 내부에서 일어나는 주기적인 사이클은 초파리^{fruit fly} 관찰을 통해 1935년 독일의 동물학자 한스 칼무스^{Hans Kalmus}와 어윈 버닝^{Erwin Bunning}에 의해 발표되었다.

써카디안 리듬의 'circadian'이란 용어는 1959년 프란츠 할베르그^{Franz Halberg}가 처음 만들어 사용했는데 circa(about, approximately)+dies(day or 24hr)란 의미로 대략 24시간 주기라는 뜻이다. 2017년에는 제프리 홀^{Jeffrey Hall}, 마이클 로스바쉬^{Michael Rosbash}, 마이클 영^{Michael Young} 3명의 과학자가 써카디안 리듬을 조절하는 분자기전을 발견한 공로로 노벨생리의학상을 수상했다. 이들은 초파리에서 써카디안 리듬을 조절하는 유전자를 찾아내 이 유전자를 피리어드^{period, PER}라고 명명했다. 이 유전자에 의해 발현되는 PER 단백질은 밤중에 세포 내에 축적되었다가 낮에 분해된다. 이것이 24시간 주기로 진자가 움직이듯 반복되면서 써카디안 리듬이 만들어진다. 체내 모든 장기와 개개 세포들은 이러한 고유의 생체시계를 가지고 있고 뇌의 생체시계에 의해 조절된다.

써카디안 리듬의 시그널링은 눈을 통해 전달된다. 눈으로 들어온 빛은 시신경을 통해 뇌로 전달된다. 양쪽 눈의 시신경들이 교차하는 바로 윗부분에는 시교차상핵^{suprachiasmatic nucleus, SCN}이 있는데 이것이 써카디안 리듬을 조절하는 마스터 생체시계다. 쌀알 정도 크기인 SCN은 뇌의 다른 영역들과 상호작용하면서 수면과 각성 주기 및 소화기관, 간, 근육, 지방조직 등에 있는 몸의 생체시계를 조절한다.

사람은 보통 낮에 활동하고 밤에는 잠을 자지만 사람마다 아침형

인간, 저녁형인간이 있는 것처럼 써카디안 리듬 역시 개인 차이가 존재한다. 흔히 아침형인간, 저녁형인간이라고 언급하는 종달새형과 올빼미형도 유전자에 의해 결정된다. 그래서 올빼미형인 사람이 이른 아침 일어나서 출근하면 온종일 멍한 상태에서 일하게 된다. 종달새형인 사람이 늦은 시간까지 야근하면 몸이 빠르게 지친다. 하지만 우리 주위에는 써카디안 리듬을 깨뜨리는 교란인자들이 너무 많다. 야간 교대근무, 밤을 새우게 만드는 컴퓨터게임, 늦게까지 지속되는 회식 술자리, 자명종 시계 소리에 일어나야 하는 새벽 출근….

동물실험에서 인위적으로 써카디안 리듬을 깨뜨리면 과식과 비만, 인슐린저항성, 고지혈증 등의 대사이상을 보였다. 야간 교대근무를 하는 사람들을 대상으로 조사해 보니 써카디안 리듬이 깨지면 혈당, 인슐린, 중성지방 수치가 증가하고 안정시대사율이 떨어졌다.[11] 역학 조사 결과 야간 교대근무자들은 그렇지 않은 사람들보다 당뇨병 발병위험이 9% 더 높았다.[12]

써카디안 리듬에 따라 작동하는 생체시계는 중추시계와 말초시계로 나뉜다. 빛의 자극으로 반응하는 중추시계는 SCN에 위치하며 생리주기, 신경과 호르몬 활동, 인간의 24시간 주기의 다양한 기능을 조절하는 역할을 한다. SCN은 두 가지 중요한 작용을 하는데 첫 번째는 눈을 통해 들어오는 빛의 자극으로 밤과 낮을 구분한다. 두 번째는 호르몬, 자율신경계를 통해 말초시계를 싱크로나이즈 한다.

써카디안 리듬에서 중요한 역할을 하는 호르몬은 코르티솔과 멜라토닌 호르몬이다. 기상호르몬인 코르티솔 호르몬은 아침이 되기 전에 분비량을 늘려 잠에서 깰 준비를 한다. 아침이 되어 햇빛이 망막을 통해 들어오면 중추시계가 이를 감지해 코르티솔 호르몬의 분비가 활발해지고 중추시계는 활동모드로 들어간다. 밤이 되면 수면호르몬인 멜라토닌 호르몬이 분비된다. 멜라토닌은 오후 9시경부터 분비되기 시작해 수면모드로 들어가게 만든다. 멜라토닌 호르몬은 수면호르몬이면서도 강력한 항산화 효과를 가지고 있다. 그래서 자는 동안 우리 몸에 쌓인 활성산소를 제거한다. 또한 멜라토닌 호르몬은 면역시스템을 강화하는 면역호르몬이기도 하다. 잠이 들면 성장호르몬이 분비되어 손상된 조직을 회복하고 근육조직을 강화한다.

써카디안 리듬을 조절하는 또 하나의 중요한 인자는 음식 섭취다. 음식이 들어오면 말초시계는 활발히 작동한다. 뇌의 중추시계가 낮이라고 인지해 활동모드일 때 음식이 들어와야 중추시계와 말초시계가 싱크로나이즈 되었다고 한다. 반면 휴식과 수면모드인 밤에는 음식이 들어오지 않아야 서카디안 리듬이 제대로 작동한다.

그렇다면 아침에 먹는 밥 한 공기와 저녁에 먹는 밥 한 공기가 혈당을 똑같은 크기로 올릴까. 혈당 조절능력은 오전 중에 가장 좋고 저녁으로 갈수록 점차 떨어진다. 그래서 밥 한 공기를 먹고 식후 혈당을 측정해 보면 아침밥보다 저녁밥을 먹었을 때 더 높게 나온다. 정상 체중을 가진 사람들도 오전과 비교해 저녁에 인슐린민감성이 34%나 떨어진다.[13]

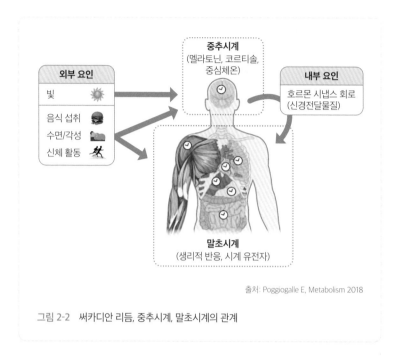

그림 2-2   써카디안 리듬, 중추시계, 말초시계의 관계

써카디안 리듬을
방해하는 요인들

예전 원시 인류들은 해가 지고 밤이 되면 잠을 잤고 낮에는 음식을 먹었다. 하지만 현대인들은 밤에도 대낮처럼 실내등을 환하게 켜놓고 음식도 낮과 밤 가리지 않고 먹는다. 잠자리에 들기 전까지 음식을 먹고 6~8시간 잠을 자고 일어나면 곧바로 음식을 먹는다. 하지만 음식이 들어오지 않는 12시간의 공복시간 동안 우리 몸은 고장 난 세포를 수리하고 부족한 것들을 채워야 한다. 그 시간 동안 위장관계와 면

역계는 비로소 휴식과 충전의 기회를 얻는다. 12시간 공복을 지키지 않으면 우리 몸을 회복할 시간을 충분히 주지 않고 있다는 말이다.

사친 판다Satchin Panda 박사의 연구에 의하면 현대인들의 50% 이상이 하루 15시간 음식을 먹는다. 12시간 이상의 공복을 유지하는 사람들은 10% 정도에 불과했다.[14]

그렇다면 써카디안 리듬을 방해하는 요인들은 무엇일까? 자세히 살펴보면 다음과 같다.

빛: 뇌의 생체시계는 빛의 자극으로 낮과 밤을 구분한다고 했다. 그런데 실내등과 조명이 발달하면서 늦은 밤까지 식사할 수 있게 되고 실내등 불빛으로 인해 뇌의 생체시계는 밤을 낮으로 인식한다. 그래서 저녁 식사를 한 후부터는 실내등을 어둡게 만들어 슬슬 수면을 유도해야 한다. 빛의 자극이 없어야 수면호르몬인 멜라토닌 호르몬이 본격적으로 분비되기 때문이다. 멜라토닌 호르몬은 낮에 햇빛을 충분히 받아야 밤에 충분한 양을 분비한다. 그런데 현대인들은 거의 실내생활을 하다 보니 낮에도 햇빛을 충분히 받지 못한다. 아침에 햇빛을 충분히 받아야 렙틴 호르몬 기능도 좋아져 혈당조절, 체중관리, 식욕조절에 도움을 준다. 그런 이유로 낮에 햇빛을 충분히 받지 못하거나 반대로 밤에도 계속 밝은 실내등에 노출되면 써카디안 리듬에 교란이 생기면서 혈당조절 이상, 인슐린저항성 등 대사이상이 생긴다. 밤늦게까지 실내등에 노출되면 그렇지 않은 경우보다 체중이 약 10% 증가하고[15] 당뇨병에 걸릴 위험도 커진다.[16]

빛 중에서도 특히 블루라이트(청색광)가 멜라토닌 호르몬 분비를 억제하는 힘이 2배 정도 크다. 멜라토닌 호르몬은 잠자리에 들기 2시간 정도부터 서서히 분비하기 시작하지만 밤에도 블루라이트에 계속 노출되면 써카디안 리듬에 교란이 생긴다. 멜라토닌 호르몬 분비가 억제되면 자는 동안 성장 호르몬 분비도 제대로 이루어지지 않아 몸에 쌓여있는 산화스트레스를 제대로 제거하지 못한다. 자는 동안에는 지방을 태우고 근육을 만드는 작업이 제대로 이루어지지 않고 낮에 뇌에 축적된 노폐물이나 독소들 역시 제대로 배출되지 않는다.

수면: 낮에 자고 밤에 일해야 하는 교대 근무자들에게는 써카디안 리듬의 교란이 생기기 쉽다. 그래서 낮에 잠을 자는 교대 근무자들은 그렇지 않은 경우보다 혈당이 더 높았고, 인슐린 분비량이 더 증가했으며, 혈액 내 중성지방이 상승했다.[17]

낮에 자면 밤에 자는 것과 비교해 에너지소모율이 12~16% 감소하고 깨어있는 시간 동안 지방연소 효율도 떨어진다.[18] 교대 근무자들이 쉽게 체중이 증가하는 이유 중 하나다.

음식 섭취: 언제 식사하는지도 써카디안 리듬에 영향을 준다. 점심 식사를 오후 1시에서 4시 반으로 늦추면 식후 혈당 상승 폭이 더 증가하고 기상호르몬인 코르티솔 호르몬의 생체리듬에 교란이 생긴다. 저녁 식사를 오후 7시에서 밤 10시 반으로 갑자기 바꾸면 식후 혈당 상승 폭이 더 증가하고 다음 날 첫 번째 식사의 혈당도 더 높다.

비만인 여성들을 대상으로 한 연구결과를 보면 하루 섭취에너지를 동일하게 할 경우, 오전 시간에 섭취량이 많은 사람이 저녁 시간에 섭취량이 많은 사람과 비교해 체중감량 효과가 더 좋았다.[19] 밤늦게 먹는 야식은 음식 섭취량과 무관하게 비만과 밀접한 연관이 있다.[20]

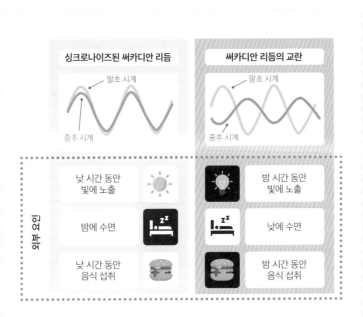

출처: Poggiogalle E, Metabolism 2018

그림 2-3 써카디안 리듬의 중추시계와 말초시계가 싱크로나이즈되어야 건강이 유지된다

써카디안 리듬과 식욕

한 연구에서 12명의 평균 체중을 가진 건강한 성인들에게 20시간 수면/각성, 단식/식사, 휴식/활동 주기를 12 사이클로 반복했다. 일반적인 24시간 써카디안 리듬을 인위적으로 왜곡한 것이다. 그런 뒤 배고픔 정도를 기록하게 했더니 실험실 환경이 아닌 생물학적 아침 시간인 오전 8시에 배고픔 정도가 작았고 생물학적 저녁 시간인 오후 8시에 배고픔 정도가 가장 컸다. 이 배고픔 리듬은 식사 시간이 바뀌고 수면이 부족한 실험실 환경과 무관하게 일정하게 유지되었다. 단식

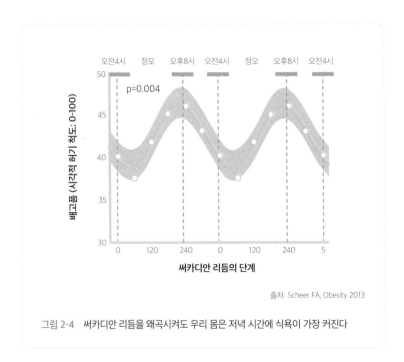

출처: Scheer FA, Obesity 2013

그림 2-4 써카디안 리듬을 왜곡시켜도 우리 몸은 저녁 시간에 식욕이 가장 커진다

기간이 아무리 길어도 아침에 눈 뜨자마자 배고픔을 크게 느끼지는 않았다. 대신 생체시계는 저녁 시간에 식욕을 강하게 증가시켰다.[21]

이 실험이 말하고자 하는 바는 외부 자극으로 써카디안 리듬을 왜곡한다 해도 단기간에는 내 몸에 각인된 리듬에 따라 식욕이 쉽게 바뀌지 않는다는 의미다. 배고픔 역시 써카디안 리듬을 따르는데 활동하는 시간대인 낮에는 3~4시간마다 허기를 느끼지만, 저녁 식사 후 다음 날 아침까지는 음식이 들어오지 않는 시간이 긺에도 불구하고 아침에 일어나서는 그리 심하게 배고프지 않은 경우가 일반적이다.

식욕을 억제하는 대표적인 호르몬은 렙틴 호르몬이다. 지방에서 분비되는 렙틴 호르몬은 낮에는 그 혈중 농도가 낮지만 저녁 이후에는 점차 그 분비량을 늘려 낮보다 높은 수준을 유지한다. 따라서 저녁 식사 이후부터 다음 날 아침까지는 배고픔 신호가 억제된다. 배고픔 신호를 보내는 그렐린 호르몬은 위장관에서 분비된다. 배에서 꼬르륵 소리가 나게 만드는 배꼽시계호르몬인 그렐린 호르몬은 매 식사 전에 그 분비량을 늘리고 음식이 들어오면 곧바로 수치를 떨어뜨린다. 인슐린 호르몬 역시 식사 후 그 분비량이 늘어나 렙틴 호르몬과 함께 식욕조절에 관여한다.[22]

그런 이유로 아침에 눈 뜨자마자 배고픔을 느끼는 경우는 많지 않아 아침을 거르거나 가볍게 먹는 사람들이 많다. 실제 단식시간이 길어지면 몸에서 포도당 대신 케톤을 사용하기 위해 혈액 내 케톤 수치가 올라가게 되는데 케톤은 식욕을 살짝 눌러주는 효과가 있다.

혈당을 조절하는 인슐린은 하루 중 저녁 시간보다 오전과 낮에 분

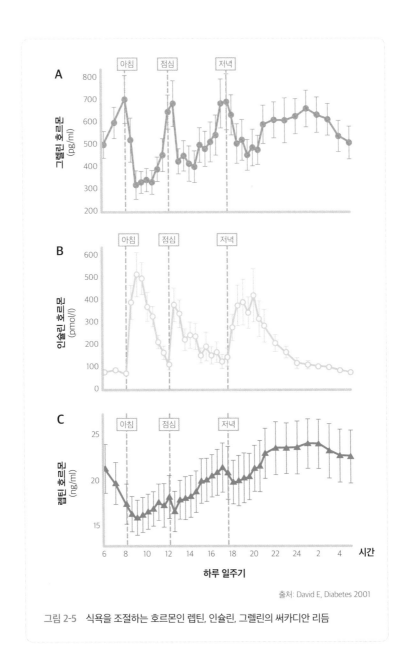

출처: David E, Diabetes 2001

그림 2-5　식욕을 조절하는 호르몬인 렙틴, 인슐린, 그렐린의 써카디안 리듬

비능력과 작동능력이 더 좋다고 말했다. 따라서 점심 식사로 탄수화물을 푸짐하게 먹고, 저녁 식사에는 탄수화물 섭취량을 줄이는 것이 써카디안 리듬에 더 적합하다. 저녁 식사로 탄수화물 섭취량이 많으면 지방축적으로 이어질 가능성이 크기 때문에 채소와 단백질이 풍부한 식사로 포만감을 주고 밥은 반 공기 이내로 섭취해야 한다.

써카디안 리듬에 맞춘 최적의 건강습관

뇌의 중추시계가 밤에 잘 준비를 하고 있는데, 몸의 말초시계는 그동안 습관적으로 먹어왔던 야식의 습관 때문에 배고픔 신호를 보낼 수 있다. 써카디안 리듬을 되돌려 건강한 습관을 가지려면 이러한 나쁜 습관에서 먼저 벗어나야 한다. 물은 12시간 공복을 유지하는 시간에도 언제든 양껏 마실 수 있다. 배고픔 신호가 오면 물을 마셔 배고픔을 달래도 좋다. 그래도 배가 너무 고프다면 오이, 당근, 브로콜리, 양배추 같은 채소류나 연두부를 먹어본다. 만약 야식의 유혹을 이겨내지 못하고 무언가를 먹었다면 마지막으로 음식을 먹은 시간부터 12시간 공복을 유지해야 한다. 야식으로 먹은 음식의 양이 아무리 적다 해도 칼로리를 내는 음식이 몸에 들어오면 몸속 생체시계는 그 순간을 활동모드로 판단한다. 부득이 야식을 먹게 되더라도 혈당이 올라간 상태에서 잠자리에 드는 일은 간에 부담을 줄 수 있으므로 탄수화물은 최대한 자제하는 것이 좋다.

그렇다면 우리의 생활습관을 써카디안 리듬에 맞추는 일이 가능할까? 원시 인류들은 동굴 안으로 비춰들어 오는 햇빛에 잠을 깼지만 우리는 자명종 소리에 잠을 깬다. 따라서 침실에는 두꺼운 커튼으로 햇빛을 차단하고 실내등도 최대한 어둡게 만들어야 한다. 아침에 자명종 소리에 잠에서 깨면 그다음에 커튼을 젖혀 햇빛을 받아들여야 한다.

밤에는 멜라토닌 호르몬이 수면을 유지하도록 돕지만 아침에 깨어나기 위해서는 멜라토닌 호르몬 분비가 줄어들면서 스트레스호르몬인 코르티솔 호르몬이 서서히 분비되기 시작한다. 코르티솔 호르몬은 일반적으로 오전 5시부터 분비되기 시작해 대략 아침 7시에 그 분비량의 정점에 오른다. 그래야 잠에서 깨어나 낮에 활동할 준비를 할 수 있으니 말이다. 따라서 일어나자마자 식사하기보다는 기상 후 1시간 정도 지나서 식사하는 것이 좋다. 전날 저녁 식사를 저녁 7~8시에 끝냈다면 오전 8시에 아침 식사를 시작하는 식이다. 물론 써카디안 리듬에 맞춰 12시간 공복 유지는 필요충분조건이다.

만약 전날 저녁 식사가 저녁 8시 넘어 늦게 끝났다면 아침 식사도 그만큼 늦어져야 한다. 아침 식사로는 식이섬유와 단백질, 복합당질로 구성된 식사를 하는 게 좋다. 퀴노아죽, 오트밀, 샐러드, 무첨가 요거트, 베리류 과일, 견과류 등을 먹으면 아침 건강식이 된다. 아침부터 혈당을 빠르게 높이는 과일이나 빵, 콘플레이크 등의 음식을 먹게 되면 인슐린이 과잉반응을 보일 수 있다. 그럴 경우 혈당이 급격히 떨어지는 '반응성 저혈당'으로 인해 점심시간이 되기도 전에 허기가

지고 또다시 탄수화물을 찾게 된다. 아침에 배가 고프면 충분한 양을 챙겨 먹어야 하지만 그렇지 않다면 과하지 않는 선에서 적당량만 먹는 것이 막 잠에서 깬 인슐린에 무리를 주지 않는 방법이다. 빵보다는 밥 반 공기 정도를 단백질 반찬과 함께 먹는 것이 더 낫다는 이야기다. 탄수화물은 인슐린 호르몬의 작동능력이 빠릿빠릿하고 식사 후에도 활동량이 많은 점심시간에 풍부하게 먹는 것이 좋다.

저녁 식사 후 혈당과 인슐린 호르몬이 식사 전 수준으로 떨어졌을 때 잠자리에 드는 것이 가장 이상적이다. 저녁 식사를 취침 4시간 전에 끝내야 하는 이유가 거기에 있다. 늦어도 취침 3시간 전에는 식사를 마쳐야 하는데 혈당과 인슐린 호르몬 수치가 올라가 있는 상태에서 잠을 자면 인슐린 호르몬이 밤에 휴식을 취할 수 없어 인슐린 호르몬에 내성이 생기는 '인슐린저항성'이 잘 생기기 때문이다. 만약 저녁 식사로 밥이나 과일 등의 탄수화물 섭취가 많았다면 산책이나 가벼운 운동으로 혈당을 떨어뜨린 후 취침을 준비하는 것이 좋다.

저녁 식사를 끝내면 우리 몸은 휴식과 수면모드로 넘어갈 준비를 한다. 그래서 실내등을 어둡게 만들고 PC, TV 시청은 잠자리에 들기 1~2시간 전에 끝내야 한다. 스마트폰은 블루라이트 차단기능을 활용하거나 최대한 보지 않도록 한다. 뇌의 중추시계에 불빛 자극을 최대한 차단해야 멜라토닌 호르몬 분비가 활발해지기 때문이다.

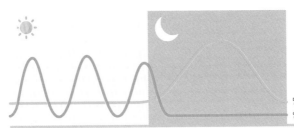

멜라토닌 호르몬
인슐린 호르몬

6 7 8 9 10 11 12 1 2 3 4 5 6 7 8 9 10 11 12 1 2 3 4 5

그림 2-6 낮에는 인슐린 호르몬이 바쁘게 일하지만 밤에는 휴식을 취해야 한다. 반면 멜라토닌 호르몬은 밤에만 분비된다

써카디안 리듬에 맞는 권고사항

공복을 12~14시간 유지한다.

저녁 식사 이후 늦은 음식 섭취를 제한한다.

운동은 가급적 저녁 6시 이전에 마치고 늦어도 취침 3시간 전에 끝낸다.

늦은 밤 음주를 피한다.

잠자리에 들기 2시간 전부터 실내등을 어둡게 만들고
PC, TV, 스마트폰 사용을 자제한다.

수면은 최소 7시간 이상 유지한다.

아침 식사는 과하지 않도록 적당량을 먹는다.

저녁 식사에는 탄수화물 섭취량을 줄인다.

2장

시간제한
다이어트

———————— 써카디안 리듬을 결정하는 가장 중요한 요인이 빛과 수면, 그리고 음식 섭취라고 말했다. 빛이 들어오는 낮에만 음식 섭취를 하고 밤에는 음식 섭취를 중단하고 수면을 준비해야 한다. 이렇게 써카디안 리듬에 최대한 맞추어 생활해야 신진대사의 교란이 일어나지 않는다. 시간제한 다이어트는 여기에서 출발한다. 빛의 자극에 반응하는 중추시계와 음식 섭취에 반응하는 말초시계를 싱크로나이즈 하자는 것이 시간제한 다이어트의 출발점이다.

시간제한 다이어트

시간제한 다이어트Time Restricted Eating, TRE는 하루 10시간 이내로 정해진 시간에만 음식을 먹는 방법이다. 앞서 현대인들의 하루 평균 음식 섭취시간은 약 15시간이라고 말했는데 이는 밤 시간대를 포함한 12시간 동안의 단식도 실천하지 못하고 있는 현실을 그대로 반영하고 있다. 음식 섭취시간을 제한하는 이유는 써카디안 리듬에 최대한 맞추기 위해서인데 그래야 우리 몸의 생리적 기능과 호르몬의 분비가 정상적으로 유지된다. 아울러 과식하는 현대인들에게 음식의 총 섭취에너지를 줄이는 데 효과적인 방법이기도 하다. 시간제한 다이어트의 가장 큰 특징은 하루 중 생체시계에 따른 식사 시간만 제한할 뿐 음식의 종류와 양을 제한하지 않는다는 점이다.

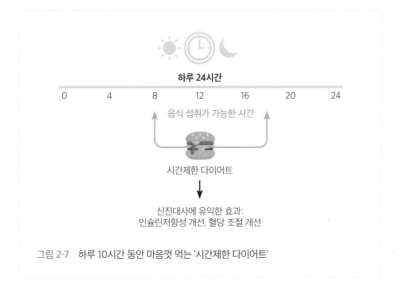

그림 2-7 하루 10시간 동안 마음껏 먹는 '시간제한 다이어트'

다이어트를 하는데 음식 먹는 시간만 정해졌을 뿐, 음식의 종류와 양을 제한하지 않는다는 건 얼마나 신나는 일인가. 예를 들어 저녁 식사를 끝낸 뒤부터 14시간 동안만 철저히 공복상태를 유지한다면 나머지 10시간 동안은 음식을 가리지 않고 아무거나 많이 먹어도 된다는 의미다. 우리에게 간헐적 단식으로 잘 알려진 16:8 방법 역시 시간제한 다이어트로, 16시간만 공복을 유지하면 8시간 동안은 음식 섭취에 제한을 두지 않는다. 케이크나 라면을 절제하지 않고 마음대로 먹는다면 해 볼 만한 다이어트 방법일 것이다. 하지만 이 방법에는 주의해야 할 사항이 있다.

우선 시간제한 다이어트의 동물실험에서 날씬한 쥐는 뚱뚱해지지 않았고, 뚱뚱한 쥐는 더 뚱뚱해지지 않았다. 다시 말해 이 방법은 지금의 체중을 유지하는 전략이지 체중과 체지방을 빼는 다이어트 방법은 아니라는 이야기다. 뚱뚱한 쥐는 시간제한 다이어트를 해도 날씬해지지 않았다.[23]

두 번째 주의할 점은, 하루 10시간 미만으로 음식을 먹으면 하루 섭취량이 평소보다 20~30% 이상 줄어드는데 이때 음식의 종류를 신경 쓰지 않는다면 단백질과 미량영양소 결핍을 초래할 수 있다. 흔히 16:8 방법의 경우, 아침 식사만 굶으면 된다고 생각해 평소와 다름없이 식사하면서 아침은 거르는 사람들을 간혹 보는데 이 경우 하루에 필요한 단백질 요구량을 채울 수 없어 근육손실을 피할 수 없다. 살이 찌지는 않겠지만 영양불균형을 초래해 건강에 해로울 수 있다는 뜻이다.

따라서 시간제한 다이어트 방법으로 체중을 줄이고 싶다면 아무 음식이나 먹을 게 아니라 미량영양소가 풍부한 채소와 양질의 단백질을 챙겨 먹어 근육손실이나 영양소 결핍이 생기지 않도록 해야 한다. 여기에 반드시 운동을 병행해야만 체중과 체지방이 움직인다.

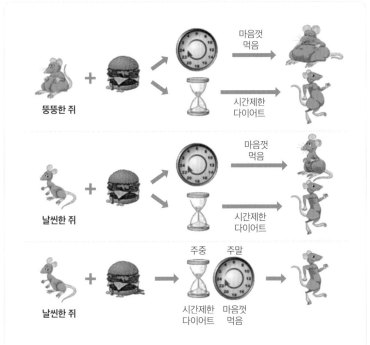

출처: Chaix A, Metabolism 2014

그림 2-8 뚱뚱한 쥐가 음식을 마음껏 먹었더니 더 뚱뚱해지고 병이 생겼다. 하지만 시간제한 다이어트로는 더 뚱뚱해지는 않았다. 날씬한 쥐가 음식을 마음껏 먹었더니 뚱뚱해졌지만 시간제한 다이어트를 하니 날씬함을 유지할 수 있었다. 심지어 주중에 시간제한 다이어트를 하고 주말에 마음껏 먹어도 뚱뚱해지지 않았다

시간제한 다이어트의
임상연구 결과

비만, 대사증후군, 인슐린저항성, 고혈압, 만성염증, 콜레스테롤 상승 등은 써카디안 리듬이 깨지면서 발생하거나 악화한다. 그래서 시간제한 다이어트의 핵심은 음식 섭취를 써카디안 리듬에 최대한 맞추는 방식으로, 우리 몸의 항상성을 회복하자는 데 의미가 있다. 시간제한 다이어트를 하면 호르몬 기능이 회복되고, 자율신경계의 불균형이 개선되며, 신진대사도 정상수준으로 회복된다.

동물실험에서도 고지방식을 시간제한 없이 마음껏 먹은 그룹과 제한된 시간인 8~10시간 동안만 마음껏 먹은 그룹을 비교 관찰한 결과 시간제한 다이어트를 한 그룹은 살이 찌지 않았고 에너지소비량과 지방연소가 증가하는 것이 확인됐다.[24] 결국 생체시계에 맞도록, 활동하는 시간 동안에만 식사를 하면 비만을 예방할 수 있다는 뜻이다. 여기에서 공복시간을 조금 더 늘리면 지방연소에 유리하게 작용해 체중조절에도 도움이 될 수 있다.[25]

사람을 대상으로 한 시간제한 다이어트의 임상연구는 아직 많지 않지만 건강한 사람들을 대상으로 한 선행연구*에서, 하루 14~16시간 동안 공복을 지키며 음식 섭취 시간을 8~10시간 유지하는 시간제

● 선행연구(pilot study): 본격적인 연구에 앞서 소규모로 조사함

한 다이어트를 해도 건강상 무리는 없었다.[26]

시간제한 다이어트와 저칼로리 다이어트를 비교한 임상연구는 아직 없으며, 하루에 음식 섭취 시간을 8~10시간으로 제한하고 8주 이상 관찰했을 때 체중감량에 도움이 되었다는 연구결과만 몇 편 있을 뿐이다. 하루 14시간 이상 습관적으로 음식 섭취를 하는 사람들에게 하루 10~12시간만 음식을 섭취하게 했을 때 실제 식사량을 줄이라는 권고를 하지 않았음에도 불구하고 이들의 음식 섭취량은 평균 20% 정도 줄었다. 체중은 약 3.3kg 줄었고 빠진 체중은 1년 후에도 잘 유지되고 있었다. 그뿐만 아니라 수면 만족도, 취침 전 배고픔도 개선되었고 주관적인 활력도 좋아졌다.[27]

가장 따끈따끈한 시간제한 다이어트 연구결과는 2019년 12월에 발표되었는데 대사증후군 환자들을 대상으로 3개월간 10시간 동안 음식을 섭취하고 14시간 공복을 유지하는 시간제한 다이어트를 시행한 결과 혈압, 혈당, LDL콜레스테롤 수치가 유의하게 좋아지는 것을 확인했다. 음식의 양이나 종류를 제한하지 않았고 운동을 권장하지 않았음에도 체중은 실험 전과 비교해 약 3% 정도인 3.3kg, 허리둘레는 약 4% 정도인 4.5cm 줄었고 부작용은 없었다.[28]

연구대상자들의 시간제한 다이어트 이전 하루 식사 시간은 평균 15.1시간이었으나 연구 기간에는 평균 10.8시간을 유지했다. 하루 중 음식 먹는 시간이 약 30% 줄어들었고, 음식 섭취량은 약 10% 감소했다. 시간제한 다이어트 실험 이전보다 첫 번째 식사는 2시간 정도 늦었고, 마지막 식사는 2시간 정도 당겨졌다. 물론 대조군이 없어 단순히 체중감량으로 지표들이 좋아진 것인지 시간제한 다이어트 자체의 효과인지 확인할 수는 없지만 그동안 발표된 동물실험의 긍정적인 결과들을 고려해 볼 때 시간제한 다이어트를 사람에게 적용해도 유사한 효과가 나타날 것으로 추정해 볼 수 있다.

또한 시간제한 다이어트는 장내 미생물 분포에 영향을 주어 비만을 예방한다는 주장도 있다.[29] 장내 미생물도 일주기변동 diurnal variation 이 있는데 시간제한 다이어트가 이를 회복시켜준다고 한다. 장내 미생물 분포의 불균형은 당대사 조절이상과 비만을 유발하는데 낮에 음식물이 들어오고 밤에는 공복을 유지하는 생체리듬을 유지해야 장내 미생물의 균형에 도움을 준다. 그래서 공복시간이 길어질수록 장 투과성 감소와 만성염증 감소로 장내 미생물 분포에 유리한 것이다.

시간제한 다이어트의 구체적인 방법과 주의점

시간제한 다이어트 방법은 8시간 공복일 경우에는 오전 8시부터 오후 4시까지, 혹은 낮 12시부터 저녁 8시까지, 10시간 공복일 경우에는 오전 8시부터 오후 6시까지, 혹은 오전 10시부터 저녁 8시까지 정해진 시간 동안에만 음식을 섭취한다.

시간제한 다이어트의 핵심은 뇌의 생체시계와 몸의 생체시계를 싱크로나이즈하는 데 있다. 따라서 낮에 음식물을 섭취하고 밤에는 수면을 취하는 써카디안 리듬에 최대한 맞출수록 유리하다. 밤 12시부터 새벽 4시에 수면을 취하는 일상은 밤늦게 음식을 먹지 않고 잠을 잤던 원시 인류의 생체시계와 잘 맞는다.

음식 종류를 가릴 필요는 없다고는 하지만 동물실험 결과에서도 확인했듯 음식 종류를 가리지 않는다면 체중이 더 늘어나는 것만 방지할 뿐 체중감량 효과는 떨어진다. 체중감량을 원한다면 14시간, 혹은 16시간의 공복시간을 철저히 지키고, 음식의 종류도 가려서 먹어야 한다. 여기에 운동을 병행해야 확실한 체중감량 효과를 볼 수 있다.

다시 정리해 보면, 시간제한 다이어트는 체중감량 프로그램보다는 생활습관으로 이해하는 것이 맞다. 만약 체중감량 목적으로 14시간 공복을 유지하는 시간제한 다이어트를 실천해 보겠다면 건강식을 잘 챙겨 먹으면서 운동이 반드시 병행되어야 한다. 특히 체중감량을 목적으로 16시간 공복을 유지하는 시간제한 다이어트를 할 경우에는 음식물을 먹는 8시간 동안 단백질이나 필수영양소 부족을 초래할 수 있어 잘 챙겨 먹어야 하고 반드시 운동을 병행해야 한다. 식사량이 부족하면 앞서 언급한 저칼로리식 부작용이 나타나 안정시대사율이 감소하고 체중 정체기가 찾아오기 때문에 충분한 양을 섭취해야 한다.

또한 12시간의 공복 시간을 가지는 시간제한 다이어트는 저녁 식사를 취침 4시간 전에 마치면 자연스레 12시간 공복이 유지되어 하루 7시간 이상 잠을 자는 어린이, 청소년, 성인 누구나 할 수 있다. 성인의 경우에는 14시간 동안 공복을 유지하는 시간제한 다이어트를 소식을 실천하는 방법으로 추천할 만한데 특히 고혈압, 고지혈증, 당뇨병 등의 만성질환을 앓고 있는 경우에는 도움이 될 수 있다는 것이 내 생각이다.

만약 시간제한 다이어트와 다른 체중감량 다이어트, 즉 저탄고지 (저탄수화물 고지방) 다이어트나 간헐적 단식과 병행하고자 한다면 시간제한 다이어트는 반드시 함께 실천해야 하는 방법이다. 주의할 점은 체중감량을 위해 다이어트를 하려면 12~14시간 공복은 꼭 유지해야 한다. 다만 16시간 이상의 공복을 유지하는 방법은 저칼로리식 부작용이 생길 위험이 있으므로 전문가와 상담을 받아 가며 시행하는 것이 좋다.

Part 3

소식과 단식,
그리고 장수 다이어트

Hormesis
Intermittent
Fasting

1장

적게 먹어야
장수한다

———— 인터넷을 검색해 보면 다양한 종류의 다이어트 방법들이 등장한다. 유튜브나 SNS에서도 이른바 전문가임을 자처하는 사람들이 자신만의 다이어트 방법만이 최고라 말하면서 앞다투어 새로운 다이어트 방법들을 소개한다. '저탄고지'만이 최고의 다이어트 방법이라 생각하는 사람들이 카페나 모임을 만들어 활발히 이론을 전파하는가 하면, 곡류와 과일 등의 섭취를 강조하는 채식 다이어트 애호가들도 꽤 많다. 간헐적 단식, 1일 1식은 아직도 사람들 입에 꾸준히 회자되고 있다. 얼마 전에는 장수 다이어트의 일종인 단식유사 다이어트Fasting Mimicking Diet, FMD도 방송을 통해 소개되었다. 이렇듯 다양한 다이어트 방법들이 난무하는 이유는 무엇일까.

난무하는 다이어트 방법들, 목적이 다르다

다이어트 전문가들은 체중감량을 하려면 '적게' 먹어야 한다고 주장하고 장수를 연구하는 학자들은 '소식'해야 오래 산다고 한다. 결국 체중감량 다이어트든 장수 다이어트든 모두 '소식'으로 귀결된다. 그렇다 보니 저지방 다이어트, 황제 다이어트, 저탄고지 다이어트, 간헐적 단식, 1일 1식, 단식유사 다이어트 모두의 공통점은 '소식'이다. 그렇지만 체지방을 줄이기 위한 '소식'과 오래 살기 위한 '소식'은 다를 수밖에 없다. 다양한 다이어트 방법들이 난무하는 이유는 다이어트의 목적이 사람마다 서로 다름에도 불구하고 그런 이해 없이 다이어트 방법들만 소개되기 때문이다.

다이어트라는 단어가 체중감량 식단만을 의미하는 건 아니다. 당뇨병 환자를 위한 식단도 있고 심장병 환자, 또는 콜레스테롤이 높은 환자를 위한 식단도 있다. 그런가 하면 질병 치료가 아닌 오래 살기 위한 장수 식단도 있다. 하지만 이런 식단들 모두 다이어트라는 이름으로 통용된다. 특히 장수를 연구하는 학자들은 소식을 강조하며 적게 먹으니 결국 체중감량 효과도 볼 수 있으리라 생각하겠지만 앞서 언급한 대로 비만인 사람이 매일 소식으로 살을 빼겠다는 건 오히려 건강을 해칠 수 있다. 소식은 건강한 사람이 더 오래 장수하기 위한 방법이다. 이런 장수 다이어트를 체중감량 다이어트로 잘못 활용하면 득보다 실이 더 커지는 것이다.

체중감량 다이어트는 수많은 방법이 나와있다. 여기에 체중은 많이 나가지만 건강한 사람, 인슐린저항성과 대사증후군에 빠진 사람, 당뇨병에 걸린 환자, 당뇨 합병증으로 신장기능이 좋지 않은 환자 등 개개인의 몸 상태에 따라 서로 다른 방법을 적용해야 함에도 유행하는 특정 다이어트 방법만이 최고라 강조하며 그 방법만을 고집하는 사람들이 많다.

탄수화물 섭취를 줄여 다이어트 효과를 보는 사람이 있는가 하면, 탄수화물을 적당량 챙겨 먹어야 효과를 보는 사람도 있다. 성장기 소아 청소년들의 경우에는 발육 성장에 유리하기 때문에 단백질이 부족하지 않도록 충분히 섭취해야 한다. 그렇다면 성장인자가 들어있는 단백질을 성장이 끝난 성인들이 지나치게 많이 섭취하면 어떻게 될까. 성장인자가 오히려 암세포의 성장도 자극할 수 있다고 해도 성인이 단백질을 많이 섭취해야 할까?

그래서 장수 다이어트에서는 소식을 강조하고 단백질의 섭취를 조절한다. 그렇지만 백세시대를 살아야 하는 지금, 80세 이후부터는 40대에 가진 근육량의 50%만으로 살아가야 하는데 젊은 시절부터 장수 다이어트를 하겠다고 무조건 소식과 저단백 식사만을 고집한다면 그건 또 어떨까. 80세 이후에는 근육이 부족해지는 근육감소증을 피할 수 없게 된다. 근육감소증이 오면 옷을 갈아입거나 외출하는 등의 일상의 신체활동에 제약이 따른다. 잘 넘어지고 골절도 잘 생긴다. 노후의 삶의 질을 뚝 떨어뜨리는 중요한 건강위험 인자다.

앞서 언급한 단식유사 다이어트FMD는 살을 빼기 위한 체중감량 다이어트가 아닌 전형적인 장수 다이어트다. FMD는 미국의 장수 연구 학자인 발터 롱고 Valter Longo 가 제안하는 방법인데 롱고 박사는 수명을 늘리는 방법은 소식임을 강조하는 학자로, 평소 소식을 실천하다 가끔 단식하면 수명연장에 도움이 된다고 주장한다. 하지만 아무리 수명을 늘린다고 하더라도 완전히 굶는 단식은 평상시 실천하기 쉽지 않다. 따라서 단식은 아니지만 단식과 비슷한 효과를 주는 다이어트 방법을 제안한 것이 바로 FMD다. 롱고 박사의 소식은 평상시 탄수화물과 지방은 적당히 먹고 단백질을 적게 먹으라고 강조한다. 그러다 간간이 FMD 식단을 실천하라고 말한다.

FMD 식단을 자세히 살펴보면 첫날에는 단백질 10%, 지방 55%, 탄수화물 35% 비율로 하루에 약 1,000칼로리 정도를 섭취한다. 2~5일 차에는 단백질 10%, 지방 45%, 탄수화물 45% 비율로 하루 500~700칼로리 정도 섭취한다. 6일째부터는 평상시 식사로 돌아간다. 복합당질, 채소 위주로 섭취하고 생선, 육류, 치즈 등은 적게 섭취한다. 이 다이어트를 매달 한차례, 3개월 정도 하면 단식과 비슷한 효과를 낼 수 있다고 한다.

이런 장수 다이어트를 체중감량 목적으로 활용하면 어떻게 될까. 방송에서 FMD가 소개되자마자 살을 빼겠다고 너도나도 FMD를 하겠단다. 하지만 FMD 식단은 일반 식단보다 칼로리가 워낙 적어 단식 못지않게 힘든 방법이지만 무엇보다 다이어트를 끝내고 일반식사로 돌아갈 경우 요요현상으로 금방 체중이 돌아온다. 장수 다이어트를 체중감량 다이어트로 오해한 결과다.

개인적으로 FMD 효과는 단순히 저칼로리 다이어트의 효과이지 단식의 효과라 보기 어렵다. 단백질 섭취를 줄이면 포만감을 느끼기 힘들어 꾸준히 실천하기 어렵기 때문이다. 적게 먹어 배고픔을 참는 것보다 차라리 단식이 견디기 더 쉬울 수 있다.

소식하면 장수할까

발표 당시에는 그다지 주목을 받지 못했지만 1917년, 토마스 오스본Thomas Osborne 등은 음식 섭취를 줄이면 성장을 늦추고 수명을 연장할 수 있다고 처음 주장했다.[30] 이어 1935년, 미국 코넬대 영양학자 멕케이MacCay는 영양결핍 없는 칼로리 제한식은 평균수명을 늘린다는 발표[31]를 했고, 이후 수많은 학자가 소식과 장수의 연관성을 초파리, 쥐, 원숭이 등의 동물실험을 통해 입증하면서 칼로리 제한식은 수명연장의 가장 확실한 방법으로 자리매김했다.

칼로리 제한식은 수명연장뿐 아니라 질병의 예방효과도 보이는데 암 발생 위험과 진행을 줄이기도 한다. 체중을 20%만 줄여도 성장인자*인 IGF-1은 75%까지 감소하고 혈당도 의미 있게 뚝 떨어진다. 동물실험을 통해서는 스트레스의 저항력도 좋아진다고 나타났다. 그렇다면 동물실험의 결과가 사람에게도 똑같이 나타날까? 사람을 대상

• 성장인자: 세포의 분화와 증식을 촉진하는 성장에 필수적인 물질

으로 이런 임상연구는 할 수 없다. 그렇다 보니 사람과 유전자 배열이 가장 일치하는 영장류 원숭이를 연구대상으로 많이 활용한다.

2009년 미국 위스콘신대 매디슨 영장류연구센터에서는 붉은털 원숭이Rhesus monkey* 76마리에게 음식을 적게 먹이는 실험을 20년 이상 관찰해 실험군은 대조군보다 오래 생존했다는 연구결과를 〈사이언스지〉에 발표했다.[32] 칼로리를 30% 제한해 먹인 원숭이는 대조군과 비교해 질병 발생이 적고 더 오래 살았다. 칼로리 섭취를 제한한 원숭이는 암, 심혈관질환, 당뇨병 같은 노화 관련 질환이 그렇지 않은 원숭이와 비교해 18%나 적게 발병했다.

출처:Colman RJ, Science 2009

그림 3-1 2009년 미국 위스콘신대 매디슨 영장류연구센터의 실험.
왼쪽은 칼로리를 제한한 원숭이, 오른쪽은 마음껏 먹게 한 원숭이

●   붉은털 원숭이(Rhesus monkey): 유전자가 사람과 93% 정도 일치해 노화연구에 많이 활용

그런데 3년 후인 2012년, 미국 국립노화연구소는 붉은털원숭이 121마리에게 25년간 칼로리를 30% 줄여 음식을 먹게 했지만 대조군과 비교해 수명에는 큰 영향이 없었다는, 기존 연구의 반대 결과를 〈네이처지〉에 냈다.[33] 기존 연구의 경우처럼 암, 당뇨병 등의 발병은 대조군보다 늦게 발병했지만 평균수명에는 차이가 없었다. 왜 이런 차이가 나타난 걸까?

출처: Mattison JA, Nature 2012

그림 3-2　2012년 미국 국립노화연구소의 실험.
왼쪽은 칼로리를 제한한 원숭이, 오른쪽은 정상 식사를 한 원숭이

일단 두 연구에서 원숭이들의 나이가 달랐다. 나이 든 원숭이의 경우, 소식이 건강을 유지하는 데 유리하지만 어린 원숭이의 경우에는 성장이 늦는 등의 문제가 생길 수 있다. 무엇보다 음식의 양과 종류에서도 차이가 있었다. 소식하면 더 오래 산다는 결론을 발표한 위스콘신대 연구팀은 실험군과 대조군 원숭이 모두에게 당분함량이 많

은 가공식품을 먹였지만, 소식이 수명에 영향이 없다는 결론을 발표한 국립노화연구소 연구팀은 실험군과 대조군 원숭이 모두에게 천연재료로 만든 음식을 먹였다. 천연재료는 식이섬유가 풍부했고 단백질 함량도 높았으며 항산화 영양소와 필수지방산이 충분히 들어간 건강식이었다. 위스콘신대 연구팀의 경우 탄수화물 중 당류가 45%에 가까워 당류 함량이 7%도 채 안 되는 국립노화연구소의 건강식과는 큰 차이를 보였다. 음식 섭취량도 달랐는데 위스콘신대 연구팀은 칼로리를 제한하지 않은 대조군의 경우에는 음식을 마음껏 먹게 했지만, 국립노화연구소 연구팀은 대조군에게도 정해진 양의 먹이만을 제공했다.

결국 건강식을 먹은 원숭이들은 정량을 먹거나 적게 먹거나 차이가 없었던 반면, 가공식품을 마음껏 먹은 원숭이들은 제한해서 먹은 원숭이들보다 수명이 짧았다는 의미가 된다.

소식은 내 몸이 원하는 만큼 먹는 것이 아닌, 그 양에서 20~40% 적게 먹어야 한다. 동물실험에서는 음식을 인위적으로 적게 먹일 수 있지만 스스로 음식을 선택해 먹을 수 있는 사람에게 포만감을 느끼기 전에 수저를 내려놓으라는 권고가 얼마나 먹힐지 모르겠다. 식욕에 관여하는 호르몬들이 건강하게 작동한다면 문제가 없겠지만 렙틴저항성, 인슐린저항성이 생긴 몸은 생리적으로 몸이 요구하는 양보다 더 많이 먹게 된다. 특히 본인의 의지력을 넘어 뇌의 쾌감중추를 자극받아야 하는 탄수화물 중독 환자들에겐 소식은 더더욱 실천하기 어려운 미션일 뿐이다. 그래서 나의 견해는 이렇다.

"무조건 양을 줄여 적게 먹는 것보다는 먹는 음식의 종류가 더 중요하며, 소식하면 장수한다는 결론을 지금 당장 내리기는 어렵지만 과식하면 일찍 죽는 건 분명해 보인다."

과식은 왜 나쁠까

소식을 실천하기는 쉽지 않겠지만 내 몸에서 원하는 양 이상을 먹는 과식은 조절해 볼 수 있지 않을까. 성장기 청소년들은 잘 챙겨 먹어야 하지만 이미 성장이 끝난 성인도 음식 섭취량을 늘려야 할까. 과식하면 음식의 소화, 흡수, 대사 과정에서 활성산소 생성이 증가하는데 잘 알다시피 활성산소는 노화를 일으키는 주요한 원인 중 하나다.

특이한 경우가 아니라면 브로콜리로 과식하지 않는다. 그렇다면 우리는 어떤 음식을 과식하는지 떠올려보자. 피자, 케이크, 라면, 떡볶이…. 예상했겠지만 모두 탄수화물이다. 이런 탄수화물 섭취량이 늘면 혈당을 빠르게 높이는 당류의 섭취도 늘어날 수밖에 없다. 그럼 인슐린을 피곤하게 만들어 인슐린저항성으로 이어질 수 있다. 나트륨 섭취량도 늘어나는데 라면 한 그릇을 먹으면 세계보건기구의 하루 소금 권장량 5g(나트륨으로 2g)을 채우게 된다. 나트륨 섭취를 신경 쓴다고 라면 한 봉지를 뜯어 수프를 반만 넣어 끓여 먹었더니 배가 충분히 차지 않은 듯해서 다시 라면 한 봉지를 더 뜯어 남은 수프 반을 마저 넣어 끓여 먹었다. 라면 두 개를 싱겁게 먹었지만 결국 나트륨 섭취량은 일반 라면 한 개 먹은 것과 다르지 않다.

나트륨 섭취량을 줄이겠다고 짠 음식은 피하고 싱거운 음식만 찾는 사람들이 간혹 있는데 싱겁게 먹어도 과식하면 나트륨을 줄이기 어렵다. 젓갈이나 장아찌 같은 짠 음식을 무조건 피하기보다는 짠 음식은 적게 먹고 싱거운 음식으로 배를 채우면서 양을 조절해 적당량을 섭취하는 게 더 현명한 방법이다.

과식하면 비만, 당뇨병, 암 발생 위험만 높이는 게 아니다. 역학연구 결과에 의하면 중년 이후 칼로리 섭취량이 과다할 경우 중풍, 알츠하이머병, 파킨슨병에 걸릴 위험이 증가한다. 뇌 건강을 위해서도 중년 이후에는 과식을 피해야 한다.[34]

음식을 소화하기 위해서는 소화효소가 분비되어야 한다. 하지만 내 몸에서 소화할 용량을 벗어나 과식하면 아직 소화되지 못한 음식이 장으로 내려가 장내 세균의 먹이가 된다. 장내에는 약 100조 마리의 미생물이 살고 있는데 이는 우리 세포 수보다 더 많다. 소화되지 않고 장에 내려온 음식물을 우리 몸에 유익하게 발효하는 균들을 유익균이라 하고, 우리 몸을 해롭게 만드는 부패를 유발하는 균을 유해균이라고 한다. 소화되지 않은 단백질이나 지방은 주로 유해균의 먹이가 되어 과식하면 유익균과 유해균의 균형이 깨져 장내 환경이 나빠질 수 있다. 결국 과식이 문제다.

쌀이 주식인 한국인의 밥상에서 밥그릇 크기에 상관없이 밥을 다 먹어야 수저를 내려놓는다. 어렸을 때부터 할머니나 어른들에게 "음식 남기면 죄 된다."란 말을 들으며 자라왔고, 밥알 하나 남기지 않고 깨끗이 그릇을 비우면 칭찬을 들었다. 사실 우리 조상들은 지금보다 3배나 큰 밥그릇에 밥을 고봉으로 담아 먹었다. 하지만 별다른 교통

수단이 없어 먼 길을 걸어 다니고 농사짓고 밭일하면서 끊임없이 육체노동을 해야 했던 예전 사람들과 달리, 먼 길은 차로 이동하고 하루 종일 의자에 앉아 지내면서 겨우 1시간 남짓 시간 내어 헬스클럽 가는 것이 전부인 우리는 신체활동량 자체가 크게 다르다. 따라서 평소 대중교통을 이용하고 사이클링이나 마라톤 같은 운동을 하거나 육체노동을 하는 경우가 아니라면 매 끼니 밥 한 공기를 다 챙겨 먹는 건 과식일 수 있다.

과거 음식이 풍족하지 않던 시절에는 제삿날이나 결혼식, 생일날 등은 평소 먹지 못했던 음식을 배불리 먹는, 과식하는 날이었다. 좋아하는 음식을 언제 또 먹을 수 있을지 모르니 먹을 수 있을 때 실컷 먹어야 했다. 하지만 이제 상황이 달라졌다. 과거에는 가족 행사에서나 먹을 수 있었던 불고기를 요즘에는 그다지 대수롭지 않게 생각한다. 비싸다는 한우등심도 마음만 먹으면 당장 먹을 수 있다.

앞서 소식하겠다고 매일 배고픔을 참아가며 적게 먹는 건 오히려 건강에 도움이 되지 않는다고 말했다. 평생 과식하지 않고 정량으로 건강식을 잘 챙겨 먹는다면 굳이 간헐적 단식을 할 필요는 없다. 하지만 우리는 종종 우리의 활동량보다 더 많이 먹곤 한다. 나이가 들어가면 근육량도 줄어들고 신체활동량도 줄어드는데 음식 섭취량은 예전과 크게 다르지 않게 많이 먹는다. 잘 챙겨 먹다가 간간이 굶어야 하는 이유가 여기에 있다.

소식과 간헐적 단식

동물실험에서도 살펴보았지만 왜 적게 먹어야 더 오래 살 수 있는 걸까. 사람은 물론 동물도 태어나 성장기를 거치고 성인이 되면 더는 성장하지 않는 대신 늙어간다. 발육과 성장이 이루어지는 시기에는 성장인자가 반드시 필요하다. 우리 몸의 대표적인 성장인자는 성장호르몬, 인슐린, IGF-1*으로, 모두 조직의 성장과 발달에 관여하는 호르몬들이다. 뇌하수체에서 성장 호르몬이 분비되면 간에서 IGF-1을 만들어 분비한다. IGF-1은 세포 내에서 성장과 합성에 관여하는 mTOR**가 작동하도록 만든다.

mTOR는 근육의 발달과 유지에 도움을 주고 근육손실을 막아준다. 음식을 통해 몸속으로 들어온 단백질과 아미노산은 IGF-1과 mTOR를 자극한다. IGF-1은 세포의 성장과 분화를 자극해 성장 발육을 돕는다. 그런데 IGF-1은 정상세포가 아닌 암 성장에도 관여한다. 이미 성장이 끝난 성인에게 IGF-1을 군이 지나치게 자극할 필요가 없는 이유다. 선천적으로 성장 호르몬이 부족한 라론증후군Laron syndrome 환자들은 IGF-1이 부족하고 성장이 더디어 심한 왜소증을 겪는다. 반면 IGF-1이 부족해 다른 사람들과 비교해 암에 잘 걸리지 않는다.

• IGF-1(Insulin-like Growth Factor-1): 인슐린양성장인자-1

•• mTOR(mammalian Target Of Rapamycin): 세포의 성장과 신진대사에 관여하는 신호물질

그런 이유로 성장이 끝난 성인들은 소식을 실천해야 하며 특히 단백질 섭취를 줄여야 IGF-1이나 mTOR를 자극하지 않아 암에 걸릴 위험도도 낮아져 더 오래 살 수 있다는 것이 소식을 주장하는 장수학자들의 견해다. 실제로 65세 미만 성인들의 경우 평소 단백질 섭취가 적을수록 IGF-1 수치가 낮아지고 암 발생 및 사망률도 낮아진다. 하지만 65세 이상인 사람들에게는 그 상황이 달라진다.

나이가 들수록 IGF-1 수치가 낮으면 오히려 건강에 불리할 수 있다. mTOR는 근육생성을 돕고 근육손실을 막아주기 때문에 소식을 하면 근육감소증 위험이 더 커지고 골다공증으로 인한 골절 위험도 증가한다. IGF-1과 mTOR는 골밀도를 증가시키고 관절을 튼튼하게 유지한다. 또한 IGF-1은 뇌에 알츠하이머병을 일으키는 아밀로이드 베타의 축적을 막아준다. 연구결과 IGF-1이 낮은 사람들은 치매에 잘 걸리고 인지기능이 떨어지는 것으로 나타났다.

하지만 IGF-1과 mTOR가 노화를 촉진하고 질병 발생 위험을 증가시킨다고 해서 무조건 단백질 섭취를 줄이고 소식하는 것만이 최선의 방법일까. 단백질 섭취를 인위적으로 제한하면 동물성 식품에서 얻을 수 있는 지용성비타민과 미네랄 섭취가 부족할 수 있고 무엇보다 근육손실, 골밀도 저하를 피할 수 없다. 그렇다면 그 해결방법으로 IGF-1을 높이지 않아 암 발생 위험을 줄이면서 IGF-1을 떨어뜨리지 않아 근육감소증 위험도 줄이는, 두 마리 토끼를 잡는 적합한 방법은 없을까?

나는 그 방법이 간헐적 단식이라 생각한다. 단식할 때에는 확실히 굶어주고, 대신 잘 챙겨 먹을 때에는 단백질 섭취가 부족하지 않도록 신경 쓰면서 근력운동도 병행하는 것 말이다. 암 발병 위험에서 벗어나고 싶으면서도 성장 호르몬 분비를 유지해 근육량을 유지하고 싶다면 간헐적 단식과 근력운동의 결합이 가장 확실하면서도 최선의 방법이라는 게 내 생각이다.

mTOR를 근육세포와 뇌세포에서는 활성화하고, 대신 지방세포와 암세포에서는 작동하지 않게 만들려면 다음과 같다.

첫째, 간헐적으로 운동하라!

운동, 특히 고강도 인터벌운동이나 근력운동은 골격근의 mTOR에 물리적 자극을 주어 mTOR를 활성화한다.

둘째, 간헐적으로 단식하라!

일정 기간 단식을 통해 mTOR를 억제한 후, 다시 음식을 섭취하여 mTOR를 자극하면 근육 항상성을 유지할 수 있게 해준다.

2장

단식을
다시 생각하다

─────── 단식은 끼니를 의도적으로 거르는 것으로, 굶는 것과는 확실히 다르다. 오늘 저녁을 먹을 수 있는데도 의도적으로 굶는 것과 먹지 못하는 상황의 차이는 매우 크다. 멧돼지가 쫓아와 전력으로 뛰는 것과, 헬스클럽 러닝머신 위에서 뛰는 행동은 같아 보여도 몸속 반응은 다르다. 가장 큰 차이는 스트레스호르몬이 얼마나 분비되고 있는지의 여부다. 스트레스호르몬이 지속해서 분비되는 '위기상황'에서는 면역력이 떨어지고 근육단백이 빠진다. 반면 건강해지기 위한 의도적인 단식은 평소 바쁘게 일하는 위장관이나 인슐린 호르몬에게 휴식을 준다. 뇌에 안정적으로 혈액이 공급되니 머리도 맑아지고 몸은 더 가볍게 느껴진다.

그런데 단식을 했을 때 기운 없어 부기력해지고 먹을 것만 생각나는 건 지금까지 단식을 제대로 해 본 적이 없기 때문이다. 단식이 부정적인 스트레스로 다가온다면 단식의 효과도 반감된다. 즐거운 마음으로, 더 건강해진다는 긍정적인 생각으로 단식에 도전해 보면 그 효과도 배가될 것이다.

왜 단식인가

의료계에서는 아직도 단식을 바라보는 시각이 그다지 긍정적이지 않다. 보통 우리가 들은 단식에 대한 말들은 "끼니를 거르지 말고 잘 챙겨 먹어야 한다, 특히 아침 식사를 거르지 말아야 한다, 굶어서 빼면 요요현상이 더 빠르게 나타난다."란 말들이다. 다이어트를 위해 단식을 하면 우리 몸이 이 상황을 '위기상황'으로 인식하고 지방을 내놓지 않으려 하므로 수분과 근육단백만 빠지고 결국 근육손실이 온다거나, 하루에 필요한 영양소를 충분히 섭취하지 못하기 때문에 영양소 결핍으로 인한 부작용이 생긴다거나, 무엇보다 배고픔을 참기 힘들고 집중력이 떨어지면서 무력감이 들어 실천하기가 만만치 않을 것이라는 말은 독자들 누구나 한 번쯤 들어본 말일 것이다. 나 역시 젊었을 때는 교과서에 충실한 모범생(?)이다 보니 방송에 나와서도 단식의 부정적 측면을 더 강조했던 것 같다.

하지만 단식을 통한 건강을 강조하는 사람들은 단식의 일정으로 최소한 3일 이상, 심지어 일주일 이상을 권하기도 한다. 나는 3일 이하 일정의 단식 정도는 건강한 사람들도 시도해 볼 방법이라 생각하지만 일주일 이상의 일정은 건강상 무리라는 생각을 했었다. 그러다

2013년 한 방송에서 '간헐적 단식'이 처음 소개되었는데 공교롭게도 그 당시 간헐적 단식 관련 서적을 감수하고 있던 나는 방송 출연을 통해 스스로 간헐적 단식을 실천해 보는 기회를 얻게 되었다. 지금 단식에 대한 내 생각을 말하자면 '단식을 잘 활용하면 노화를 늦추고 뱃살을 빼는 데 아주 큰 도움이 된다'이다. 그렇다면 단식을 하면 우리 몸은 어떻게 변할까?

우리 몸은 에너지를 내는 영양소를 섭취, 소화, 흡수하는 동화작용anabolism과, 연료가 소진되어 비축한 영양소를 사용해야 하는 이화작용catabolism을 반복한다. 우리 몸이 가장 먼저 쉽게 이용하는 연료는 포도당으로 음식물로는 탄수화물을 섭취했을 때 얻을 수 있고 몸속에서는 간과 근육에 비축해둔 글리코겐을 통해 얻을 수 있다. 간은 100~150g, 근육은 300~400g 정도의 글리코겐을 비축할 수 있다. 단식으로 음식이 몸으로 들어오지 않으면 혈당과 인슐린은 기저상태baseline로 떨어진다. 우리 몸은 혈당을 더 떨어뜨리지 않기 위해 비축해둔 글리코겐을 포도당으로 분해해 방출하기 시작한다. 여기서 인슐린 역할이 중요하다. 혈당이 떨어져 인슐린이 기저상태에 있어야 비축해둔 글리코겐을 활용하는 모드로 바뀐다. 간 내에 축적된 글리코겐은 18~24시간 동안 음식이 들어오지 않아도 고갈되어 버린다.

단식이 지속되면 어떤 일이 생기는지 더 알아보자. 우선 간에서 글리코겐이 고갈될 기미를 보이고, 인슐린은 낮은 수준으로 유지되며, 간은 지방조직에서 방출되는 지방산을 분해해서 케톤을 만들기 시작한다. 단식 2~3일째부터 본격적으로 혈액 내 케톤 농도가 높아진다.

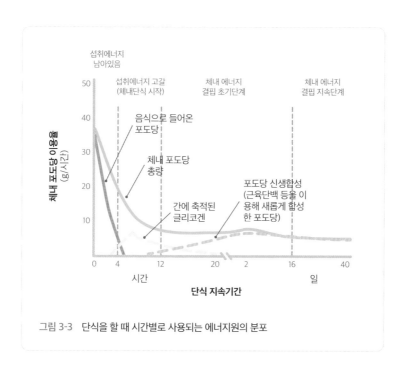

그림 3-3 단식을 할 때 시간별로 사용되는 에너지원의 분포

단식한 지 3일이 지나면 초기에 부족한 당을 만들기 위해 근육단백을 끄집어 썼던 대사는 점점 줄어들고, 대신 지방산과 케톤을 사용하는 대사로 바뀐다. 케톤은 탄수화물이 고갈되었을 때 임시로 사용되는 비상식량이다. 따라서 탄수화물 음식을 섭취해 기저상태에 있던 인슐린이 분비되면 곧바로 수치가 떨어진다.

한때 유행했던 '저탄고지' 다이어트는 탄수화물 섭취를 최대한 제한하고 인슐린을 크게 자극하지 않는 지방 위주로 식사하는 방법이다. 이렇게 하면 인슐린이 기저상태에 있으면서 지방산을 쪼개 만들어지는 케톤이 우리 몸의 주요 연료로 사용된다. 따라서 엄밀하게 표

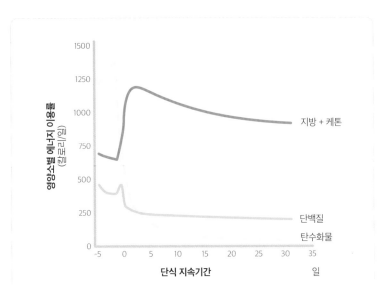

그림 3-4 단식이 길어지면 초기에 근육단백을 사용했던 몸은 지방을 분해하여 케톤을 주로 사용하게 된다

현하면 저탄수화물 다이어트가 아니라 탄수화물 섭취제한 다이어트가 더 맞는 표현이다.

단식이 가져다주는
우리 몸의 긍정적 효과

단식이 가져다주는 우리 몸의 긍정적 효과를 더 자세히 살펴보기 위해 자가포식, 인슐린, 미토콘드리아, 신진대사, 성장 호르몬, 간, 근육, 뇌, 장, 면역과 연결해 설명해 보자.

단식과 자가포식autophagy: 우리 몸의 에너지밸런스를 생각해 보자. 음식을 섭취하기 시작하면 에너지밸런스는 ⊕방향으로 올라간다. 음식 섭취를 끝내면 그다음 음식을 먹을 때까지 에너지밸런스는 ⊖방향으로 내려간다. 우리 몸의 에너지밸런스는 ⊕와 ⊖를 반복하면서 일정한 체중을 유지한다. 에너지밸런스의 ⊕곡선이 크면 체중이 늘고, ⊖곡선이 크면 체중이 줄어든다. 그렇다면 더 나아가 체중이 아닌 우리 몸을 구성하는 세포를 살펴보면 어떨까.

세포에 영양분이 풍부해지면 에너지밸런스는 ⊕가 되고 영양분이 결핍되면 에너지밸런스는 ⊖가 된다. 세포에 들어온 영양분은 에너지를 내는 ATP를 만들어낸다. 따라서 세포 내에 ATP가 풍부하면 에너지밸런스는 ⊕가 되고, 에너지가 부족해지면 ⊖가 된다. 세포 내 ATP가 풍부한지 부족한지를 감지하는 센서는 바로 AMPK와 mTOR 회로이다. AMPK와 mTOR는 세포 내 연료센서로, AMPK는 에너지 부족을 알려주는 역할을 하고, mTOR는 여분의 영양분을 활용해 세포 성장, 단백질 합성, 새로운 조직생성 등에 관여한다. 음식 섭취 후에 세포 내 영양분이 흡수되어 포도당과 아미노산이 넘치면 mTOR가 활성화되고 반대로 단식이 길어져 영양분이 고갈되면 AMPK가 활성화된다.

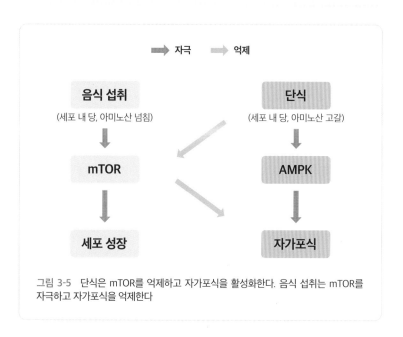

그림 3-5 단식은 mTOR를 억제하고 자가포식을 활성화한다. 음식 섭취는 mTOR를 자극하고 자가포식을 억제한다

그런 원리로, 단식이 계속되어 세포에서 당과 아미노산이 고갈되면 AMPK가 활성화되고 mTOR가 억제되어 세포 성장은 멈추고 대신 자가포식이 일어난다. 자가포식autophagy의 사전적 의미는 '자기 자신을 잡아 먹는다'는 뜻이다. 아주 쉽게 설명하자면 단식으로 몸속

에너지가 고갈되니 생존을 위해 늙고 병든 세포를 처리해버리고 대신 그 자양분을 끄집어와 새로운 세포를 만드는 데 재활용하겠다는 뜻이다. 이 흐름은 항노화와 수명연장을 이해하는 아주 중요한 개념이다.

처음 이 자가포식 개념은 단식의 체내 적응반응으로만 이해했었지만 최근 연구결과들을 살펴보면 다음과 같은 여러 긍정적 효과들이 확인되었다. 염증을 완화하고, 면역력을 개선하며, 스트레스 저항력을 키워주고, 암세포 분화를 억제하며, 병원체 사멸을 돕는다. 만병통치약이 따로 없을 정도다. 이 자가포식을 가장 강력하게 자극하는 것은 단식이지만, 단순히 식사량을 줄이는 방법만으로 활성화되지는 않는다.

자가포식이란 말은 1963년 런던에서 열린 시바 재단 리소좀 관련 심포지엄Ciba Foundation Symposium on Lysosomes에서 처음 사용되었다. 화학자인 크리스티앙 드 뒤브Christian de Duve는 리소좀*이 세포 내에서 스스로 소화하는 과정을 설명하면서 자가포식이란 말을 처음 사용했다.

자가포식이 활성화되면 건강한 세포 안에 있는 세포소기관들은 죽거나 병에 걸린 세포들을 찾아 이들을 포식한다. 자가포식은 주로 단식이 지속될 때 자극받는데 특히 아미노산의 결핍은 자가포식을 자극하는 강력한 시그널이 된다. 자가포식은 호르몬에 의해 조절되

• 리소좀: 가수 분해 효소를 많이 함유하여 세포 내 소화 작용을 하는, 단일 막으로 둘러싸인 세포의 작은 기관

는데 인슐린은 간의 자가포식을 억제하고 글루카곤은 자가포식을 활성화한다.

자가포식은 늙고 병든 세포의 단백질을 분해하는 과정이지만 근육의 항상성을 위해서도 필요하다. 자가포식이 지나치게 발생하면 근육 손실이 생기지만 반대로 자가포식이 제대로 일어나지 않아도 문제인데 늙고 병든 세포를 젊고 빠릿빠릿한 세포로 바꾸지 못해 근육이 늙어간다. 그래서 적절하게 자가포식이 활성화되어야 단백질을 최대한 재활용하면서 근육량을 유지할 수 있다.[35] 따라서 자가포식이 제대로 이루어지지 않으면 노화와 근육손실이 계속 진행된다.

우리 몸에 지속해서 영양소와 에너지가 공급된다면 우리 몸에서 자가포식을 자극하는 기능은 약해질 수밖에 없다. 음식이 들어오지 않을 때 활성화되는 AMPK는 세포 내 에너지 상태를 감지하는 에너지 센서지만, 특히 간과 근육에서 에너지대사에 중요하게 관여한다. 근육에서 AMPK가 활성화되면 포도당 흡수가 증가하고 지방연소가 촉진되며 간에서는 콜레스테롤과 중성지방의 합성이 감소하고 케톤 생성이 증가한다. AMPK는 영양분 부족, 다시 말해 단식이 지속될 때 활성화된다. 또 하나, 격한 운동으로 에너지 고갈이 생겨도 AMPK가 활성화된다. 그렇다면 단식과 운동을 병행하면 어떻게 될까?

단식 상태에서 운동하면 에너지 고갈을 더 가속화하므로 자가포식 작용을 더 강하게 자극하게 된다. 그렇다면 얼마나 오래 단식을 해야 자가포식이 활성화될까?

일반적으로 인슐린과 mTOR를 억제해야 자가포식이 시작된다.

혈당이 낮게 유지되고 간 내 글리코겐 창고가 비어있어야 우리 몸이 에너지 부족을 인지하게 된다. 실제로 자가포식이 본격적으로 활성화되려면 48시간 이상 단식을 해야 한다지만 18~24시간의 짧은 단식 시간으로도 AMPK가 활성화되어 자가포식이 일어난다.

단식과 인슐린: 단식의 가장 큰 효과는 인슐린 호르몬 수치가 줄어든다는 점이다. 어떤 음식이든 인슐린 분비를 자극한다. 따라서 인슐린을 쉽게 만드는 가장 확실한 방법은 아예 음식을 먹지 않는 것이다. 인슐린저항성이 있는 몸에서는 식사량을 줄여도 인슐린에 부담을 준다. 12시간 공복 후 검사하는 공복 인슐린 수치가 올라간 사람이라도 단식기간이 길어지면 인슐린이 그보다 더 낮은 수준으로 떨어진다.

건강한 성인 남성들을 대상으로 72시간의 짧은 단식을 시켜본 결과, 인슐린은 단식 후 48시간 이후가 12시간 공복 상태보다 50%나 더 떨어졌다. 감소한 인슐린 호르몬 수치의 약 70%가 단식 후 첫 24시간 이내에 나타났다. 지방조직에서 유리된 중성지방은 18~24시간에 두드러지게 증가했다.[36] 짧은 단식 효과는 18시간부터 두드러지게 나타나기 시작하며 24시간까지만 유지해도 인슐린 수치를 낮추는 단식의 효과를 얻을 수 있다.

단식과 미토콘드리아: 미토콘드리아는 생리 활동에 필요한 에너지를 만들어내는 파워플랜트다. 하지만 그 과정에서 유해산소(활성산소)를

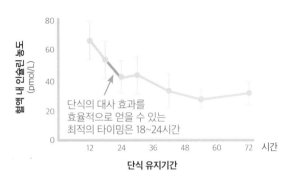

출처: Klein S. Am J Physiol 1993

그림 3-6 짧은 단식의 효과는 18~24시간에서 두드러지게 나타난다

만들어내기 때문에 미토콘드리아 기능에 손상을 준다. 신체활동량은 거의 없이 쉴새 없이 먹어대는 현대인의 미토콘드리아는 늙고 병들어 있다. 미토콘드리아의 건강을 지키는 방법은 우리 몸속 항상성을 유지하고 염증을 유발하는 환경을 피하는 것이다. 단식은 활성화된 AMPK가 자가포식을 해 늙은 미토콘드리아를 없애고 새로운 미토콘드리아를 합성하게 만든다. 게다가 산화스트레스를 줄여 미토콘드리아의 수명도 늘려준다. 나이가 들수록 미토콘드리아의 숫자도 줄어들고 기능도 감소하는데 단식과 운동은 이러한 미토콘드리아의 숫자를 늘리고 기능도 회복시킨다. 그래서 새로운 미토콘드리아의 생성은 젊음을 유지하고 활기차게 평생을 살아가는 데 중요하다. 그런 미토콘드리아 합성을 증가시키고 수명을 늘리는 핵심은 당대사보다 지방대사를 더 효율적으로 하는 몸을 만드는 것이다.

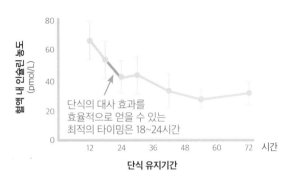

단식과 신진대사: 짧은 단식은 신진대사 속도를 떨어뜨리지 않고 오히려 첫 48시간 후 3.6% 증가하는 것으로 나타났다.[37] 대사 속도가 떨어지는 대신 오히려 증가하는 이유는 아드레날린 분비가 증가하기 때문이다. 단식을 시작하면 간과 근육에 비축된 글리코겐을 방출하고 지방연소를 촉진한다. 그 이유는 아직 구석기시대 유전자를 가진 우리 몸이 배가 고플 때 사냥을 하거나 수렵 채집을 위해 몸을 더 움직여 먹을거리를 찾아야 했기 때문으로 생각된다. 에너지 레벨이 충만해야 사냥에 성공할 확률이 더 높아지지 않겠는가.

단식과 성장 호르몬: 20~24시간 공복이 지속되면 성장 호르몬은 1,300~2,000%까지 그 분비량을 늘린다.[38] 비만이 아닌 정상 체중을 가진 성인은 단식 3일 후부터 성장 호르몬이 드라마틱하게 증가하지만 10일 이후부터는 꺾이기 시작한다. 성장 호르몬의 분비를 이론적으로 생각해 보면 우리 몸이 케톤을 본격적으로 연료로 쓸 때까지 근육 손실을 최소화하기 위한 전략이다. 성장 호르몬은 혈당을 안정적으로 유지해주는 호르몬이다. 단식 등으로 탄수화물이 우리 몸에 들어오지 않는 상황에서 혈당이 안정적으로 유지되려면 비축해둔 지방을 적극적으로 사용해야 한다. 그런데 나이가 들수록 생리적으로 성장 호르몬은 줄어든다. 성장 호르몬이 줄어들면 근육이 빠지고 지방이 늘어난다. 그런 이유로 한때 항노화 클리닉에서 성장 호르몬 주사가 유행한 적이 있지만 부작용으로 지금은 시들해졌다. 성장 호르몬 분비를 자극하는 강력한 자극제는 바로 단식이다.

단식과 간: 단식을 시작하면 간 내 비축된 글리코겐이 포도당으로 분해되어 방출된다. 단식이 14시간 이상 지속되면 지방산 대사, 베타산화, 항산화 등에 관여하는 유전자 발현이 증가한다. 간에서 지방을 에너지원으로 쓰는 대사가 활성화된다는 의미다. 중성지방 형태로 간에 쌓여있던 지방도 분해되어 에너지원으로 사용된다. 글리코겐 창고가 비어있음에도 단식이 지속되면 간에 쌓인 지방이 배출되고 염증을 유발하는 물질이 줄어든다. 24시간 이상의 단식으로 지방간을 개선할 수 있다는 의미다.

단식과 근육: 단식은 자가포식을 자극하게 만들어 근육의 노화 과정을 늦춘다. 간에서와 마찬가지로 근육 내 쌓여있던 지방이 배출된다. 활성산소와 염증이 줄어들고 근육 내 미토콘드리아 역시 자가포식으로 더 젊어지며 지방대사가 활성화된다.

단식과 뇌: 단식을 하면 뇌에서 BDNF*의 분비가 증가한다. BDNF는 신경연결망을 강화하고 기억과 학습을 담당하는 뇌 영역의 신경 생성을 촉진한다. 단식으로 인해 생성된 케톤은 염증을 가라앉히고 뇌에 에너지 공급원으로 작용한다. 아울러 체중감량 효과로 인해 뇌 건강에도 도움을 준다. 게다가 단식은 뇌의 인지장애 진행을 막아주

● BDNF(brain-derived neurotrophic factor): 뇌유래신경영양인자

는데 자가포식은 뇌에 쌓인 노폐물인 아밀로이드 베타를 제거해주기 때문이다. 연구결과 24시간의 짧은 단식은 인지기능, 집중력, 반응시간, 기억력 등에 전혀 영향을 주지 않았다.[39]

뇌는 하루에 약 120g의 포도당을 필요로 한다. 하지만 공복 상태가 길어지면 케톤이 생성되어 뇌의 에너지 공급원의 50~70%까지 감당한다. 아울러 중성지방 분해에서 생성된 글리세롤도 포도당 신생합성이 되어 뇌 에너지의 20% 정도까지 공급이 가능하다. 하지만 반대로 포도당이 과도하게 뇌로 흘러 들어가면 신경퇴화 질환과 관련이 있는데 알츠하이머병을 제3의 당뇨병이라 말하는 것도 그런 이유에서다. 그래서 제2형 당뇨병 환자들은 알츠하이머병에 걸릴 위험이 아주 높다. 결국 뇌의 인슐린저항성은 인지장애를 일으키는 위험요인이 된다.

단식과 장: 어떤 음식을 섭취하는가가 장내 미생물의 분포에 영향을 미치듯, 단식도 장내 환경에 영향을 미친다. 동물실험에서도 단기간의 단식이 장 건강과 수명연장에 도움이 되는 것으로 밝혀졌다. 게다가 감염성 장 질환을 치료하는 데에도 단식이 사용된다. 단식을 하면 위장관의 소화 운동이 휴식을 취하게 되고 이때 항염증 사이토카인이 분비되어 위장관 내의 치유와 회복이 일어난다. 결국 단식은 장벽의 치밀결합을 강화하고 장내 만성염증을 완화하는 등 장내 스트레스를 줄여준다.

단식은 또한 유해균의 번식도 억제한다. 장내 미생물 분포를 바꾸어 신진대사를 개선하며. 소화되지 않은 음식물과 소장에 남아있는 미생물을 대장으로 내려보내 소장에서 유해균이 증가하는 것을 예방하기도 한다. 동물실험에서는 시간제한 다이어트가 다양한 유익균을 증가시켰다. MIT에서 실험한 한 연구에서는 24시간의 단식이 위장관 줄기세포를 활성화했다고 발표했다. 단식이 장내 환경을 바꾸어 대사 스위치를 당대사에서 지방대사로 바꾸는 데 역할을 한 것이다.

단식과 면역: 왜 심한 감기나 인플루엔자에 걸리면 입맛이 떨어질까? 우리 몸이 외부에서 침입한 적과 싸워야 하는 급성감염 상태가 되면 우선 식욕을 떨어뜨린다. 배고픔 신호가 나오지 않아야 음식을 찾으러 다니는 수고와 노력을 피할 수 있기 때문이다. 대신 그 에너지를 침입한 적과 싸우고 손상된 조직을 회복하는 데 집중할 수 있다. 음식이 체내에 들어오지 않으면 감염원의 증식도 막을 수 있는데 침입한 적군들도 철분이나 아연 등 영양소들이 필요하기 때문이다. 물론 단식은 급성감염의 초기에 유효하며 장기전으로 이어질수록 충분한 영양 섭취가 훨씬 더 중요해진다.

단식을 시작하기 전 알아두어야 할 점

단식 방법은 기간에 따라 장기단식과 단기단식으로 나뉜다. 가장 큰 차이는 몸에서 케톤을 본격적으로 증가시켜 에너지원으로 사용하게 하는 방법이냐 아니냐이다. 몸속에서 케톤이 증가해 에너지원으로 사용하는 것을 케토시스라고 하는데 단기단식에서는 케토시스를 유발하지 않는다. 일반적으로 장기단식은 3일 이상 단식하는 것을 말하는데 12시간 단식만 해도 케톤이 형성되기는 하지만 몸속 포도당 저장창고에는 글리코겐이 아직 남아있는 상태다. 하지만 36시간이 지나면 포도당 창고가 완전히 고갈되어 정상적인 지방산 연소가 이루어지지 않고 뇌를 포함한 신경계에 충분한 에너지를 공급하지 못하는 상태가 된다. 뇌를 포함한 신경계는 대체에너지로 포도당 대신 케톤을 에너지원으로 사용하게 된다. 간에서 만들어지는 케톤은 지방분해를 촉진하고 자가포식을 자극한다.

하지만 이러한 장기단식에는 영양 불균형이나 근육손실 같은 부작용의 우려가 있어 주의가 필요하다. 장기단식의 효과까지는 아니어도 12~36시간의 단기단식만으로도 중성지방의 지방분해를 증가하고, 인슐린과 렙틴 기능이 개선되며, 만성염증과 산화스트레스가 줄어든다.

건강한 사람이라면 3일 단식 정도는 무리 없이 할 수 있지만, 비만이나 당뇨병이 있는 경우라면 반응성 저혈당이나 기립성저혈압 등 부작용 우려가 있으므로 24~36시간 정도의 단기단식으로 시작해 보는 것이 무리가 없다.

무엇보다 단식은 여러 긍정적인 효과를 주기도 하지만 막상 단식을 마음먹고 실천하기는 쉽지 않다. 지금까지 살아오면서 한두 끼 정도는 굶어봤지만 24시간 굶어본 경험은 그리 흔치 않을 테니 말이다.

그런데 쉴새 없이 음식을 섭취했던 평소 습관에서 간간이 하루 이상 굶어보라고? 당연히 처음에는 쉽지 않다.

처음 단식을 시작하면 두통, 어지럼증, 기운 없음, 혈압저하, 불규칙한 맥박 등이 나타날 수 있다. 드물지만 기억력 감퇴나 운동신경 조절 이상 등의 증상을 보이기도 한다. 하지만 이러한 증상은 사실 단식의 부작용이라기보다는 탄수화물 중독이 있는 사람에게 나타나는 탄수화물 금단증상이라고 보는 게 더 타당하다. 현대인 대부분이 지방대사보다는 당대사 위주로 신진대사가 돌아가다 보니 일시적으로 당 공급이 중단되면 평소 익숙하지 않은 지방대사를 해야 하기 때문에 우리 몸에서 당을 공급해달라는 일종의 금단증상일 가능성이 더 높다는 이야기다.

그래서 단식 초기에는 마치 당뇨 환자가 저혈당 증상을 겪는 것 같은 증상이 나타나지만 검사를 해 보면 실제 저혈당 증상은 보이지 않는다. 당 공급 제한으로 수분이 많이 빠져나가면서 앉았다 일어날 때, 누웠다 일어날 때 핑 도는 어지럼증인 기립성저혈압 증상은 비교적 흔히 나타나는데 이러한 증상은 점차 몸이 익숙해지면서 사라진다.

질병을 가지고 있는 사람이라면 단식할 때 주의가 필요하다. 통풍이 있는 경우에는 단식 중에 소변을 통한 요산 제거가 감소해 요산 수치가 상승할 수 있다. 따라서 통풍이 악화할 수 있으므로 주의가 필요하다. 역류성 식도염이 있는 경우도 단식 중 속 쓰림 증상이 심해질 수 있다. 담석이나 요로결석이 있는 경우도 주의가 필요하다.

지방조직은 단순히 에너지만 비축해두는 창고가 아니다. 환경호르몬을 비롯한 각종 화학물질들이 대부분 지용성이기 때문에 지방조직에 축적되는데 체지방이 줄어들면서 이런 독소들이 혈액으로 빠져나오게 된다. 이때 일시적으로 간 기능 수치가 올라갈 수도 있으나 시간이 지나면 다시 예전 수치로 돌아온다. 약을 복용 중인 당뇨병 환자들의 경우에는 저혈당이 올 수 있어 약 복용을 중단하거나 용량을 조절해야 한다. 따라서 반드시 의사의 감시하에 시행해야 한다. 저체중인 사람, 성장기의 소아 청소년, 임신한 여성, 수유 중인 여성은 단식하지 않는 것이 좋다.

Part 4

간헐적 단식

Hormesis
Intermittent
Fasting

간헐적 단식이란
무엇인가

─────── 간헐적 단식은 정상적인 식사를 하는 중간중간 의도적으로 짧은 단식을 하는 방법을 말한다. 단식하는 시간, 단식 횟수에 따라 다양한 방법이 있는데 어떤 간헐적 단식법이 가장 효과적일까. 개인마다 결과가 다르기에 정답은 없다. 어떤 사람에겐 효과가 있는 방법이 다른 사람에겐 효과가 없을 수도 있다. 목적에 따라서도 방법이 달라져야 한다. 건강을 유지하고 노화를 늦추기 위한 방법으로 사용할 것인지, 체중감량과 뱃살을 뺄 목적으로 사용할 것인지에 따라 선택이 달라질 수 있다. 평생을 지속할지 1년에 몇 번만 할지, 아니면 한 달만 할지도 개인의 선택이다. 중요한 건 간헐적 단식의 이론을 정확히 숙지해야 원하는 효과를 극대화할 수 있다는 점이다.

간헐적 단식의 탄생

야생의 세계에서 동물들은 배가 고파야 먹잇감을 찾아 나선다. 배가 부른데 귀찮게 먹잇감을 찾아 돌아다닐 이유가 없다. 하지만 동물들은 오랜 시간 음식을 거의 먹지 못하는 상황을 심심치 않게 겪어 굶은 상태에서도 먹잇감을 찾아 제대로 사냥하려면 뇌와 몸의 기능이 늘 일정 수준 이상을 유지하고 있어야 한다. 동물들은 생존을 위해 지방저장 모드에서 지방 활용 모드로 빠르게 전환할 수 있는 능력을 갖추고 있어야 한다. 다시 말해 평소 지방형태로 에너지를 비축해두다가 유사시에는 이를 빠르게 에너지원으로 활용할 수 있어야 한다. 이를 대사 유연성metabolic flexibility이라 하는데 동물의 세계에서는 대사유연성이 좋을수록 생존에 유리하다.

원시 인류도 이와 크게 다르지 않았을 것이다. 진화적 측면에서 대사유연성이 좋을수록 종족 번식에 유리했을 것이기에 우리 조상들은 여분의 에너지를 지방조직에 잘 축적해두었다가 필요할 때 바로 꺼내 쓸 수 있는 몸을 가졌음이 틀림없다. 그런데 21세기를 사는 우리 현대인들은 어떤가. 배고플 틈 없이 쉴 새 없이 다양한 음식이 몸속으로 들어온다. 아침에 일어나면 습관적으로 아침 식사를 한다. 낮 12시 종소리가 울리면 늘 그랬듯이 동료들과 식당에서 점심을 먹는다. 오후 회의시간에는 회의실에 놓여있는 과자와 빵을 아무 생각 없이 먹는다. 집에서도 식사를 마친 지 얼마 지나지 않았음에도 습관적으로 냉장고 문을 열고 음식을 꺼내 먹는다. 남는 에너지는 지방의 형태로 축적되지만 축적된 지방을 꺼내 쓸 일은 거의 없고 지방조직은 쌓이기만 할 뿐이다. 지방을 에너지원으로 꺼내 쓰는 일이 거의 없어지면 지방조직의 대사유연성이 떨어지게 되는데 이는 유사시 지방을 쉽게 끄집어 쓰지 못하는 몸으로 바뀌게 된다는 의미다.

대사유연성을 다시 살리기 위해서는 어떻게 해야 할까. 지방조직에 축적해놓은 에너지를 가끔 끄집어 써야 한다. 그런데 이제는 예전처럼 겨울철에 먹을거리가 부족해지거나 흉년이 들어 기아상태에 빠질 일은 없다. 결국 일부러 굶어야 한다는 말인데 그래야만 우리 몸의 지방창고 문이 열리면서 비축해두었던 에너지를 끄집어 쓸 수 있다. 결론은 대사유연성을 살려내려면 간간이 굶어주어야 하고 그래야 더 건강해진다.

그렇다면 단식은 어떤 역사를 가지고 있을까. 단식은 종교적 이유혹은 의학적 치료목적으로 고대 중국, 그리스, 로마 등에서 수천 년동안 시행되어왔다. 고대 문명인들은 단식을 '해독' 혹은 '정화'의 기간으로 불렀다. 그들은 이미 단식의 효과를 알고 있었다. 벤저민 프랭클린은 "의술에서 가장 최고의 치료는 휴식과 단식이다."라고 말했고 마크 트웨인은 "아픈 사람들에게 짧은 단식은 최고의 약물이나 최고의 의사가 해줄 수 있는 것보다 더 이득을 줄 수 있다. 식사를 줄이는게 아니라 하루나 이틀 완전히 음식을 먹지 않는 것을 의미한다."고 말했다. 단식의 첫 과학적 연구는 1914년에 나왔는데 제1형 당뇨병과 제2형 당뇨병 치료에 단식치료를 도입한 것으로 이후 수많은 연구논문이 제2형 당뇨병 치료의 한 방법으로 단식을 제안했다.

단식으로 체중이 빠지면 체중이 다시 늘어날 때까지 혈당이 비교적 잘 조절된다. 단식을 하면 곧바로 당불내성*과 인슐린저항성이 개선된다. 이런 소견은 체중감량과 무관하게 단식에 의한 효과로 보았다. 하지만 이런 '치료적 단식'은 부작용도 함께 나타났다. 메스꺼움과 구토, 부종, 탈모, 운동신경병증, 고요산혈증, 생리불순, 간 기능 이상, 골밀도 감소, 티아민 감소와 베르니케증후군, 대사성산증….

게다가 단식 기간에 젖산혈증, 소장폐색, 신부전, 심장 부정맥 등의 이유로 사망하는 사례도 보고되었는데 이러한 부작용은 단식을 수주 이상 장기간 계속하는 경우에 발생했다. 1950~1960년대까지 유행처럼 번졌던 단식 방법은 이런 부작용이 생기면서 점차 사그라들기 시작했다. 1960년대 후반 이후부터는 상업적인 이익을 추구하는 대형 식품회사들로 인해 규칙적인 식사와 간식이 강조되기 시작했고 1980년대 이후에는 단식이란 표현이 거의 자취를 감추었다. 그러다 최근 들어 간헐적 단식이 새롭게 사람들 입에 오르내리고 있다.

간헐적 단식을 연구하다

2000년부터 최근까지 간헐적 단식과 관련된 임상연구 논문은 800여 편 이상이며 최근 들어서는 관련 논문들이 더 활발하게 발표

---

* 당불내성: 올라간 혈당을 제대로 떨어뜨리지 못하는 것

되고 있다. 가장 많이 연구된 주제는 격일 단식alternate day fasting, ADF이다. 동물실험을 통해서는 격일 단식이 고지방식이로 인한 부작용을 경감시키는 것은 물론 체지방 감소 및 혈당, 인슐린, 렙틴 개선효과를 보였다. 하지만 사람을 대상으로 한 임상연구 결과에서는 일관되게 일치된 결과를 보이지 않았다. 16명의 건강한 사람들을 대상으로 22일간 격일 단식을 시행했더니 체중은 2.5%, 체지방은 4% 감소했고 공복 인슐린은 57%나 감소했다.[40]

간헐적 단식과 저칼로리식의 단기간 비교연구에서는 체중의 감량폭은 크게 차이가 없다. 대신 간헐적 단식은 상대적으로 근육손실이 적고, 체지방, 특히 내장지방 감량효과가 더 좋았다. 또한 다이어트 이후 감량체중을 유지하는 데도 효과적이다.

비만인 성인들을 대상으로 한 그룹은 저칼로리식으로, 또 다른 그룹은 간헐적 단식인 ADF로 8주간 시행해 체중을 감량시킨 뒤 6개월 후에 추적관찰했다. 저칼로리식 그룹은 체지방이 다시 늘었지만, ADF 그룹은 6개월 후에도 체지방이 늘지 않았다.[41]

왜 두 그룹 간 차이를 보였을까? 연구자들은 안정시대사율에서 해답을 찾았다. 저칼로리식 그룹은 다이어트 시작 때보다 안정시대사율이 떨어졌지만 간헐적 단식 그룹은 상대적으로 안정시대사율이 떨어지지 않았다. 다이어트 종료 후 다시 식사량이 늘었을 때 안정시대사율이 떨어진 몸은 체지방이 다시 늘어나지만 안정시대사율이 유지된 몸은 체지방이 쉽게 늘지 않는다는 것이다.

간헐적단식군(ADF, 주 3일 0칼로리 단식)과 저칼로리식군(CR, 평소보다 하루 400칼로리 적게 섭취) 6개월 후 추적관찰

변수와 단식 방법		기준치	8주	32주	8주 차 기준치	p value
몸무게 (kg)	CR	114.0 (4.6)	106.9 (4.5)	109.0 (4.7)	-7.1 (1.0)	<.001
	ADF	94.8 (4.4)	86.5 (4.4)	89.1 (4.5)	-8.2 (0.9)	<.001

8주 후 두 군 모두 통계적 유의성 없이 체중감량, 6개월 후 CR 2.1kg 증가, ADF 2.6kg 증가

총 지방량 (kg)	CR	48.8 (2.7)	45.1 (2.6)	46.3 (2.9)	-3.7 (0.5)	<.001
	ADF	37.7 (2.6)	33.9 (2.5)	33.5 (2.8)	-3.7 (0.5)	<.001
	CR-ADF	11.1 (3.7)	11.1 (3.6)	12.8 (4.0)	0.0 (0.8)	0.995

8주 후 두 군 모두 통계적 유의성 없이 체지방감량, 6개월 후 CR군은 1.2kg 증가했으나, ADF군은 0.4kg 감소

제지방량 (kg)	CR	60.9 (3.0)	58.2 (2.8)	59.3 (2.8)	-2.6 (0.6)	<.001
	ADF	53.2 (2.8)	50.0 (2.7)	52.1 (2.7)	-3.2 (0.6)	<.001

8주 후 두 군 모두 통계적 유의성 없이 제지방감소, 6개월 후 CR군은 1.1kg 증가하였고, ADF군은 2.1kg 증가

출처: Catenacci VA, Obesity 2016

표 4-1   저칼로리 그룹은 6개월 후 체지방이 늘었지만, 간헐적 단식 그룹은 체지방이 늘지 않았다

간헐적 단식이 저칼로리식보다 우월한 이유는 안정시대사율이 떨어지지 않는 것뿐만 아니라 인슐린저항성을 개선해주는 효과도 있기 때문이다. 동물실험에서는 당대사 개선, 인슐린저항성 개선 효과가 일관되게 나타나는데 임상연구에서는 일치된 결과를 보이지 않았다.

2017년, 권위 있는 〈미국내과 학술지〉에 간헐적 단식이 저칼로리식과 별 차이가 없을 뿐만 아니라 인슐린저항성 개선 효과도 없다는 연구논문이 게재되었다. 비만인 성인들을 대상으로 저칼로리 그룹, 격일완화 단식 그룹, 대조군 이렇게 세 그룹으로 나누어 6개월간 체중감량, 이후 6개월간 감량체중 유지, 이렇게 1년간 다이어트를 시행했다. 그 결과 두 군 간 체중, 체지방의 차이가 없음은 물론 심혈관위험 요인, 인슐린저항성에서도 차이가 없었다. 중도 탈락률은 간헐적 단식 그룹이 38%로 저칼로리식 그룹 29%보다 더 높았다. 1년이라는 장기간의 연구결과가 나오면서 간헐적 단식 역시 단기간의 효과일 뿐 장기적으로 보면 저칼로리식과 차이가 없다는 목소리가 다시 커

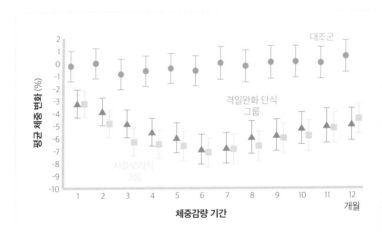

출처: Trepanowski JF, JAMA Intern Med 2017

그림 4-1   저칼로리식 그룹과 격일완화 단식 그룹을 대상으로 1년 동안 다이어트를 시행했으나 두 군 간 차이가 없었다

졌다. 지금도 제도권 의료계에서는 간헐적 단식을 유행 다이어트의 한 종류로 보고 있는데 그 연구는 간헐적 단식의 효과를 주장했던 학자들에게 찬물을 끼얹는 결과였다.[42]

하지만 동일한 연구대상자들 중에서 다이어트 전 이미 인슐린저항성이 있는 사람들을 선별해 다시 분석해 본 결과 저칼로리 그룹은 다이어트 전후에 의미 있는 차이가 없었던 반면 간헐적 단식 그룹은 공복 인슐린과 인슐린저항성이 통계적으로 유의하게 개선되는 것으로 확인됐다.[43]

이 연구 전에도 간헐적 단식이 인슐린저항성의 개선 효과가 있다는 임상연구결과는 계속 발표되어왔다.[44] 하지만 잘 짜인 대규모 연구결과가 없다 보니 학자들마다 서로 다른 견해를 보여오다 1년간의 장기 진행된 연구결과가 2017년 발표되면서 효과의 차이가 없다는 쪽으로 무게가 더 실리게 된 것이다. 하지만 이 연구의 제한점은 간헐적 단식 그룹의 경우 철저하게 간헐적 단식을 시행하지 않았다는 점이다. 잘 챙겨 먹어야 하는 날에는 권장량보다 덜 먹었고 하루 한 끼만 500칼로리 미만으로 먹어야 하는 단식일에는 더 많이 먹었다. 저칼로리식 그룹과 크게 차이를 보이지 않은 가장 중요한 이유였다.

이번에는 위 연구팀에서 간헐적 단식을 시행한 사람들 중 1년 동안 5% 이상 체중감량에 성공한 다이어트 성공 그룹과 그렇지 못한 실패 그룹을 나누어 성공 요인을 분석해 보았다. 그 결과 다이어트에 성공한 그룹은 단식일에 철저하게 정해진 양을 넘지 않았다. 그리고 단식일에 상대적으로 단백질 섭취량이 더 많았다.[45]

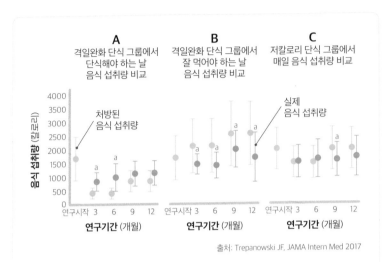

그림 4-2 간헐적 단식 그룹은 단식하는 날 권장량보다 더 먹었고, 잘 먹어야 하는 날 권장량보다 덜 먹었다

최근까지 발표된 간헐적 단식 관련 논문 800여 편 중 비교적 연구 완성도가 높은 4개의 연구를 분석한 결과 간헐적 단식에서 체지방 감량 대비 근육량 감소가 일반적인 다이어트 방법과 비교해 두드러지게 적었다.[46]

2019년 9월에는 비만, 당뇨가 없는 건강한 성인들을 대상으로 주 3회 36시간 단식하는 격일 단식을 6개월 이상 장기적으로 시행했음에도 특별한 부작용이 나타나지 않았다는 연구결과가 발표되었다. 6개월 후에도 안정시대사율은 크게 떨어지지 않았고 골밀도, 백혈구 수치, 갑상샘 기능에도 의미 있는 변화가 없었다. 근육량보다는 체지방량의 감소가 두드러졌고 특히 복부 내장지방의 감소가 가장 컸다.[47]

신진대사의 스위치를 바꾸다

식사를 하면 혈액을 도는 포도당이 주요 에너지원으로 이용되지만 음식이 들어오지 않는 시간이 길어지면 지방조직에 축적되어 있던 중성지방이 지방산으로 분해되어 혈액으로 들어온다. 포도당만을 고집하는 뇌는 지방산을 이용하지 않기 때문에 간에서는 지방산을 더 잘게 쪼개어 케톤을 만든다. 뇌는 포도당을 절약하기 위한 전략으로 포도당뿐 아니라 케톤 역시 에너지원으로 이용할 수 있다. 케톤은 단식 12시간 후부터 늘어나기 시작한다.

간헐적 단식의 가장 큰 효과는 신진대사의 스위치를 바꾸는 일이다.[48] 포도당만을 즐겨 사용하려는 대사를 지방산을 사용하는 대사로 옮겨가는 것이다. 쉽게 말해 지방을 잘 쓰지 않던 몸을 지방을 잘 쓰는 몸으로 바꾸는 것이다. 더 전문적으로 표현하면 대사유연성을 높인다는 말이다.

우리 몸이 포도당을 '즐겨' 사용하는 이유는 그동안 탄수화물이 부족함 없이 풍족하게 공급되어왔기 때문으로 포도당 대신 케톤을 사용해야 하는 상황은 거의 없었다. 며칠을 굶거나 체내 저장된 포도당을 다 써버릴 정도의 격렬한 운동이나 신체활동을 해본 적이 없기 때문이다. 그래서 지방합성과 저장으로 이어지는 대사의 스위치를 끄고 비축된 지방조직에서 지방산을 끄집어 쓰는 대사를 켜자는 것이다. 지방대사의 스위치는 간세포에 비축된 글리코겐이 소진되어 더는 혈액에 포도당을 공급하지 못할 때 켜지는데 마지막 식사 후 12시

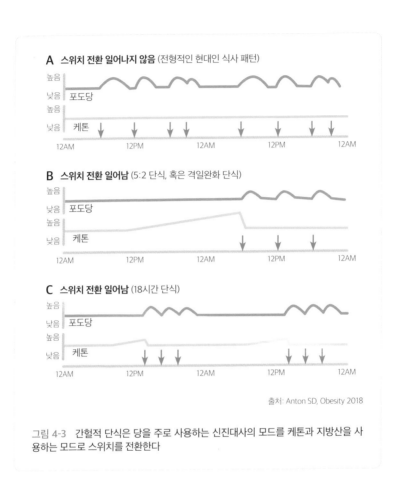

A 스위치 전환 일어나지 않음 (전형적인 현대인 식사 패턴)

높음
낮음 포도당
높음
낮음 케톤
12AM   12PM   12AM   12PM   12AM

B 스위치 전환 일어남 (5:2 단식, 혹은 격일완화 단식)

높음
낮음 포도당
높음
낮음 케톤
12AM   12PM   12AM   12PM   12AM

C 스위치 전환 일어남 (18시간 단식)

높음
낮음 포도당
높음
낮음 케톤
12AM   12PM   12AM   12PM   12AM

출처: Anton SD, Obesity 2018

그림 4-3 간헐적 단식은 당을 주로 사용하는 신진대사의 모드를 케톤과 지방산을 사용하는 모드로 스위치를 전환한다

간 이상 공복상태가 지속되면 인슐린은 바닥에 머무르고 간에 비축된 포도당을 절약하기 위해 지방산이 본격적으로 이용되기 시작한다. 그래서 공복 상태에서 운동하거나 신체활동량이 늘어나면 지방대사의 스위치가 빨리 켜진다. 지방조직에서 혈액으로 들어온 지방산은 간으로 들어가 케톤으로 대사가 되어 뇌를 포함한 신경세포와

근육세포에 중요한 에너지 공급원이 된다.

케톤이 생성되는 이유는 부족한 포도당을 근육단백에서 끄집어 쓰려는 대사를 최소화해 근육량을 유지하기 위해서다. 따라서 저칼로리 식단과 비교해 보면 간헐적 단식을 할 때 근육손실이 상대적으로 적다.

현대인들은 언제부터인가 하루에 세 끼를 '규칙적으로' 섭취하면서 격한 운동이나 극심한 육체노동을 하지 않게 되었고 케톤 수치도 올라갈 일이 거의 없다. 심지어는 체중이 야금야금 늘면서 인슐린저항성까지 생겼으니 스위치를 켤 기회는 좀처럼 생기지 않았다. 간헐적 단식으로 공복시간을 24~36시간까지 늘리면 당대사 개선, 염증완화, 혈압저하, 세포의 스트레스 저항력 증가 등 긍정적인 효과가 나

	음식 섭취	12시간 넘는 단식
주요 에너지원	포도당	지방산, 케톤 (단식 길어질수록 케톤 사용 증가)
인슐린 호르몬	↑	↓(단식 길어질수록 더 감소)
단백질 합성	↑	↓
	mTOR↑	자가포식↑
미토콘드리아	미토콘드리아 합성↑	미토콘드리아 저항력↑
활성산소	↑	↓
염증반응	↑	↓

표 4-2　신진대사 스위치의 변화

타난다. 단순히 섭취량을 줄이는 다이어트는 근육손실이 필연적이다. 하지만 간헐적 단식을 하면서 근력운동을 병행하면 근육손실을 최소화할 수 있다.

결국 요약해 보면 간헐적 단식은 지속적인 저칼로리 다이어트 방법과 비교해 첫째, 안정시대사율이 유지되고 둘째, 인슐린저항성을 개선하며 셋째, 근육손실을 최소화하는 장점이 있어 다른 체중감량 방법들보다 그 효과가 더 크다.

호르메시스와 간헐적 단식

호르메시스hormesis는 그리스어로 '자극하다', '촉진하다'는 뜻으로, 인간이 '적절한' 스트레스나 '적은 양'의 독소에 '간헐적'으로 노출되면 그로 인해 더 큰 스트레스에 저항력이 생기는 긍정적 효과가 나타난다는 이론이다. 독일의 약리학자인 휴고 슐츠Hugo Schulz가 1888년 처음 호르메시스 현상을 관찰했는데 미량의 독성물질은 효모균을 죽이는 대신 더 자라게 하는 것을 확인했다. 호르메시스는 해롭지 않은 수준의 가벼운 스트레스, 미량의 독소 등 다양한 물리적, 화학적, 생물학적인 방법으로 생명체에 자극을 주면 면역기능 증진, 질병 감소, 수명연장과 같이 생체기능에 유익한 효과를 주는 현상을 의미한다.

채소를 섭취하면 채소가 곰팡이나 세균에 스스로를 방어하기 위해 만들어놓은 파이토케미컬(phytochemical, 식물영양소)이 우리 몸에 들어와 항산화, 항염, 항암 효과를 유발하는데 이것도 호르메시스의 일종이다.

기본적으로 호르메시스는 독소 혹은 스트레스에 대해 두 개의 상이한 반응으로 나타난다. 첫 번째 노출에서 신체는 손상을 입는다. 그 다음 나타나는 반응은 스트레스 자극의 적응으로 예전보다 더 나은 상태로 몸이 바뀐다. 그렇다면 운동 역시 호르메시스 반응을 일으킨다고 볼 수 있다.

우리는 매일, 수시로 운동하지 않는다. '간헐적으로' 운동한다. 고강도 인터벌운동 같은 격렬한 운동이나 근력운동은 운동하는 동안 오히려 산화 스트레스를 유발한다. 하지만 그럼에도 불구하고 간헐적으로 운동 자극을 주면 근육 내 미토콘드리아의 숫자와 활동을 증가시키는 적응반응을 일으켜 오히려 건강에 도움을 준다.

간헐적 단식도 마찬가지다. 단식하면 인슐린 농도가 낮아지고 IGF-1 분비도 감소한다. mTOR가 억제되고 노화된 세포를 스스로 파괴하는 자가포식이 일어난다. 노화를 늦추는 장수 유전자인 시르투인Sirtuin 유전자가 발현하고 활성산소가 줄어들며 염증이 가라앉는다. 이런 단식의 효과를 '간헐적'으로 갖는다면 호르메시스 효과를 얻을 수 있다.

이제까지 간헐적 단식의 생리학적 측면, 의학적 측면만을 보았지만 또 다른 측면에서도 도움이 된다. 우선 식사 시간에 쏟았던 시간을 활용할 수 있으며, 장을 보고 음식을 조리하고 설거지하는 시간까지 생각하면 간헐적 단식으로 얻을 수 있는 시간은 훨씬 더 늘어난다. 비용은 어떤가. 병원에서 비만치료 약물을 처방받을 필요가 없다. 다이어트 관련 보조제 등을 사 먹지 않아도 된다. 식당에서 사 먹는 음식값이 절약되고 장을 보는 데 드는 돈도 절약된다. 간헐적 단식은 뱃살을 줄여줄 뿐만 아니라 시간과 비용까지도 절약하며 건강하고 장수하는 선물까지도 주는 셈이다.

2장

체중감량과
간헐적 단식

————— 소식으로 건강하게 오래 살기 위한 식사법이 아니라 뱃살을 빼고 체중을 줄이려는 방법으로 간헐적 단식을 시행해 보려 한다면 그에 맞는 전략이 필요하다. 첫 번째, 식욕조절호르몬인 렙틴과 혈당조절호르몬인 인슐린의 기능을 최대한 정상수준으로 끌어와야 한다. 두 번째, 이소성지방을 제거해야 한다. 세 번째, 음식 중독에서 벗어나야 한다. 이제부터 하나씩 풀어가 보자.

렙틴저항성과
인슐린저항성

이미 방송과 책을 통해 꾸준히 설파해왔듯이 렙틴저항성과 인슐린저항성을 최대한 정상으로 돌려놓아 요요현상이 생기지 않는 다이어트 방법이 박용우 다이어트의 핵심이다.

지방세포에서 분비되는 렙틴 호르몬은 식욕과 신진대사를 조절해 체중과 체지방을 일정하게 유지해주는 호르몬이다. 이 호르몬에 내성이 생기면 평소보다 분비량을 더 늘려야 이전과 비슷한 기능을 유지한다. 분비량을 늘리기 위해서는 지방조직이 더 늘어나야 한다. 렙틴 호르몬에 내성이 생기는 것을 렙틴저항성이라고 하는데 이로 인해 체중과 체지방의 설정값, 즉 세트포인트가 상향조정되면서 살이 찌게 된다.

연말 모임이 많아 과음과 과식이 이어지다 보니 체중이 10% 정도 늘었다. 이때 렙틴 분비량은 약 20% 증가한다. 렙틴 호르몬이 증가하니 식욕이 떨어지고 신진대사가 높아지면서 다시 체중이 빠진다. 봄이 오고 옷이 얇아지니 겨우내 찌웠던 살을 빼야겠다는 생각이 들어 식사량을 줄여 체중을 10% 정도 줄였다. 이때 렙틴 분비량은 약 50% 감소한다. 렙틴 호르몬은 체중이 늘어날 때보다 줄어들 때 더 민감하게 반응하는 호르몬인 것이다. 렙틴 호르몬이 감소하니 식욕이 엄청나게 증가한다. 시도 때도 없이 배가 고프고 저녁을 먹고 나서도 야식이 당긴다. 안정시대사율이 떨어지니 기운이 없고 몸이 무겁다. 억지로 운동해 보지만 평소 움직임이 적어 쉽게 배고픔이 느껴지고 참다 참다 과식이나 폭식으로 이어지니 체중이 빠르게 늘어난다.

그런데 이 호르몬에 내성이 생기면 정상적으로 분비되고 있음에도 뇌는 지방이 부족한 것으로 착각해 식욕을 더 당기게 만들고 포만감 신호를 늦게 보내 체중과 체지방을 늘리게 만든다. 많이 먹고 적게 움직이는 건 비만의 원인이 아니라 렙틴저항성이 생겨 나타나는 증상이며 결과라고 하겠다.

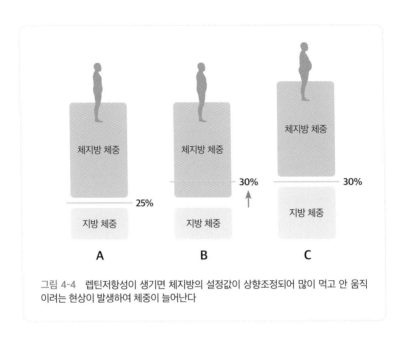

그림 4-4　렙틴저항성이 생기면 체지방의 설정값이 상향조정되어 많이 먹고 안 움직이려는 현상이 발생하여 체중이 늘어난다

렙틴저항성을 일으키는 원인은 만성스트레스, 설탕이나 정제 탄수화물, 특히 과당의 과잉섭취, 수면 부족, 근육량 감소, 오래 앉아있는 습관 등 다양하지만 무엇보다 인슐린저항성이 렙틴저항성을 일으키고 악화시키는 가장 큰 원인이다. 인슐린저항성 역시 렙틴저항성에 의해 악화하는데 인슐린저항성과 렙틴저항성은 서로를 망가뜨리면서 나빠지는 악순환으로 이어진다. 그렇다면 렙틴저항성에서 벗어나려면 어떻게 해야 할까.

스트레스가 쌓여 만성으로 이어지지 않도록 바로바로 풀어야 한다. 스트레스를 잘 다스리고 조절하는 것이 비만을 예방하고 치료하는 중요한 방법이다. 아울러 렙틴저항성을 유발하는 설탕, 흰 밀가루, 술, 트랜스지방, 포화지방 등의 섭취를 줄여야 한다. 적어도 세트포인트를 낮추겠다는 목표로 다이어트를 한다면 설탕, 밀가루 음식, 술은 무조건 끊어야 하고 과일과 포화지방도 최대한 자제해야 한다. 여기에 하루 7시간 이상 숙면을 취하고, 근육량을 늘리고, 오래 앉아있는 시간 줄이기 등을 실천해야 한다. 그리고 인슐린저항성에서 빨리 벗어나야 한다.

인슐린저항성은 탄수화물의 상대적 과잉섭취로 인해 발생하는데 특히 과당 섭취가 문제가 된다. 설탕과 액상과당이 주범이긴 하지만 설탕 섭취를 줄이지 않고 과일을 많이 먹게 되면 과일도 독으로 작용한다. 인슐린저항성이 생기면 내장지방, 지방간, 근육내지방 등 뒤에 설명하겠지만 이소성 지방의 축적이 가속화되어 간과 근육에 꾸준히 지방이 쌓이게 되고 결국 혈당조절이 되지 않아 지방을 제대로 연소하지 못하는 몸이 되면서 살이 찌고 당뇨로 이어진다. 우리가 알고 있는 '대사증후군'이 바로 인슐린저항성 때문에 나타나는 임상증상이다.

그렇다면 인슐린저항성에서 벗어나려면 어떻게 해야 할까. 탄수화물의 상대적인 과잉섭취 때문에 나타나는 증상인 만큼 인슐린저항성에서 회복될 때까지는 탄수화물 섭취와 소비의 밸런스를 ⊖로 유지해야 한다. 특히 혈당을 급격히 높이는 설탕과 흰 밀가루 음식을 피

인슐린저항성의 증상 및 증후

- 피로: 세포 내 에너지 부족
- 부종: 나트륨 배출 억제
- 수면장애: 야간 혈당저하, 코르티솔 호르몬 수치 상승
- 복부 내장지방 축적: 인슐린 + 코르티솔 호르몬 수치 상승의 결과

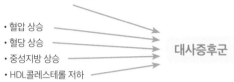

- 혈압 상승
- 혈당 상승
- 중성지방 상승
- HDL콜레스테롤 저하

대사증후군

그림 4-5　세포는 포도당을 받아들이지 못해 늘 에너지가 부족하다. 혈중 인슐린 농도가 높으면 나트륨 배출이 억제된다. 여기에 만성염증 상태로 인해 몸이 잘 붓는다. 지방간으로 밤중에 포도당을 안정적으로 공급하지 못하니 스트레스호르몬이 상승해 수면장애가 일어난다. 신진대사의 이상으로 복부에 지방이 축적되고, 혈압, 혈당, LDL콜레스테롤, 중성지방, 요산 수치가 상승하며, HDL콜레스테롤 수치가 떨어진다

해야 한다. 인슐린 수치가 높으면 지방분해가 제대로 이루어지지 않으므로 인슐린을 더 떨어뜨리기 위해선 저칼로리 식사만으로는 한계가 있다. 아예 굶어야 한다. 간헐적 단식이 필요한 이유다.

아울러 지방을 잘 쓰지 못하는 몸에 탄수화물 섭취마저 줄여버리면 몸은 근육의 단백질을 끌어와 당으로 바꿔 사용한다. 따라서 근육 단백 손실을 최소화하기 위해 평소 단백질 섭취에도 신경을 써야 한다. 하지만 무엇보다 중요한 건 이소성 지방을 없애야 한다.

이소성 지방

이소성 지방 ectopic fat 이란 엉뚱한 곳에 쌓여있는 지방을 의미한다. 지방조직은 피부 아래, 피하조직에 쌓인다. 피하지방은 우리 몸의 체온을 유지해주고 여분의 에너지를 비축하며 유사시에 사용한다. 그래서 지방은 피하조직에 쌓여야 정상이다. 아랫배나 허벅지에 쌓인 지방은 몸매를 예쁘지 않게 만들지만 건강을 해치진 않는다. 그런데 피하조직에 쌓여야 할 지방이 엉뚱한 데 쌓이면 어떻게 될까? 특히 간이나 췌장에 쌓인다면?

간에 지방이 5% 이상 쌓인 상태를 지방간이라 하는데 우리 몸 신진대사의 컨트롤타워인 간에 기름이 끼면서 대사조절에 이상이 생기면 비만, 당뇨병 등 대사이상이 생긴다. 췌장에 지방이 끼어도 인슐린 분비나 기능에 이상을 초래한다. 심장 주변에 지방이 끼는 것도 심혈관질환을 유발할 수 있다. 근육 사이사이에 끼어있는 근내지방도 인슐린저항성을 악화시키고 신진대사를 떨어뜨린다. 하지만 이렇게 쌓이는 이소성 지방을 우리가 알아채기는 쉽지 않다.

우리가 이소성 지방을 알 수 있는 건 내장지방이다. 복강 안쪽 장간막에 쌓이는 내장지방 역시 비정상적인 이소성 지방이다. 내장지방은 상대적으로 공간이 넓어 본격적으로 쌓이기 시작하면 빠르게 축적된다. 윗배부터 둥글게 뒷동산처럼 솟아오른 D형 타입의 배가 바로 내장지방이 쌓인 상태다. 이 정도로 내장지방이 쌓였다면 이미 지방간, 지방췌장, 근육내지방 등 다른 이소성 지방도 만만치 않게 쌓여있다고 보아야 한다. 이소성 지방은 혈액 내 지방산 농도를 높이고 인슐린저항성을 유발하거나 악화시키며, 염증유발물질을 분비해 만성염증 상태를 만들고, 산화스트레스를 일으켜 혈관을 빠르게 노화시킨다. 한우의 투뿔등심 중 최고로 치는 꽃등심의 마블링이 바로 근내지방인데 방목해서 목초를 먹인 소는 근내지방이 많지 않고 좁은 우리에 가둬 옥수수 배합사료를 먹인 소에게서 두드러지게 나타난다. 다이어트의 순서는 이소성 지방을 먼저 걷어내는 것부터 시작해야 한다.

그렇다면 내장지방과 지방간을 줄이려면 어떻게 해야 할까. 지방간의 첫 번째 원인은 술이고 두 번째가 탄수화물, 특히 과당의 과잉 섭취다. 따라서 첫 번째 미션은 무조건 술을 끊어야 한다. 평생 끊으란 이야기가 아니라 내장지방과 간에 끼어있는 지방을 걷어낼 때까지만 끊자는 말이다. 과당 섭취도 최대한 줄여야 한다. 설탕 음식을 끊고 당분간 과일도 금하는 것이 좋다. 지방간과 내장지방이 심한 상태에서는 포화지방도 독으로 작용할 수 있으므로 육류는 가급적 지방이 적은 부위를 선택해 삶거나 샤부샤부로 요리해 먹는 것이 좋다. 간헐적 단식을 통해 의도적으로 에너지섭취를 줄여 간에 끼어있는 지방이 에너지원으로 활용될 기회를 주어야 한다. 아울러 양질의 단백질을 충분히 섭취해야 근육단백 손실을 피하는 것뿐만 아니라 지방간을 개선하는 데에도 도움이 된다.[49]

근육내지방도 걷어내야 하는데 운동이 반드시 포함되어야 하는 이유다. 인슐린저항성이 있으면 근육이 포도당을 제대로 이용하지 못해 고강도 인터벌운동이 꼭 필요하다. 고강도 운동을 하면 근육이 인슐린 도움 없이도 포도당을 이용할 수 있다. 근력 강화운동으로 근육량을 더 늘리는 전략도 아주 좋은 방법이다. 꼼짝 않고 오래 앉아 있는 습관에서도 벗어나야 한다. 의식적으로 30분에서 1시간마다 일어나 가볍게 몸을 풀어줘야 한다. 하체로 내려가 정체되어 있는 피를 허벅지와 종아리 근육을 수축해 다시 심장으로 되돌아오게 도와주어야 하기 때문이다.

만성염증과 활성산소도 줄여야 한다. 항산화 성분이 풍부한 채소류를 충분히 섭취해야 하며 오메가3지방산이 많이 함유된 음식도 잘 챙겨 먹어야 하고 부족하다면 영양제 형태로 보충해야 한다. 튀긴 음식을 피하는 건 칼로리가 높아서가 아니다. 집에서 가연점이 높은 질 좋은 기름으로 빠르게 한 번 튀긴 음식이라면 모를까 사 먹는 튀긴 음식은 그다지 좋은 기름을 쓰지 않는 데다 재탕 삼탕으로 튀기는 경우가 많아 유해성분이 많이 생긴다.

여기에 숙면을 취해야 만성염증이 가라앉고 활성산소도 잠을 자는 동안 제거되며 근육도 숙면을 취해야 잘 붙는다. 결국 숙면을 잘 취해야 지방간이 개선되고, 지방간이 좋아지면 숙면이 더 잘된다.

음식 중독

담배를 끊기 힘든 이유는 단순히 습관의 문제가 아니기 때문이다. 니코틴 중독에 빠진 뇌가 쉽게 담배를 끊게 내버려 두지 않는다. 니코

틴패치, 금연치료 약물이 있는 건 그만큼 니코틴 중독에서 벗어나기 쉽지 않다는 반증이다. 비만 역시 마찬가지다. 단순히 습관의 문제가 아닌 설탕과 흰 밀가루 중독에 빠진 뇌는 탄수화물을 줄이는 상황, 특히 설탕과 밀가루 음식이 들어오지 않는 상황을 견디지 못한다. 한 끼만 굶어도 무기력해지고 집중력이 떨어지면서 "당 떨어졌다."고 말하는 사람들은 탄수화물 중독일 가능성이 크다. 이런 경우는 몸에 쉴 새 없이 탄수화물이 들어오면 탄수화물 중독에서 벗어나기 쉽지 않다.

그래서 가끔은 탄수화물 공급을 차단해 중독증상에서 벗어나야 한다. 간헐적 단식이 필요한 이유다. 탄수화물 중독은 니코틴 중독이나 알코올 중독보다는 그래도 벗어나기 쉽다. 간헐적으로 굶어 내 몸

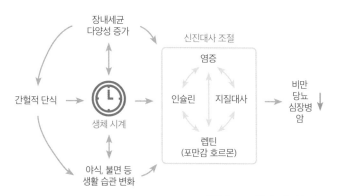

생체시계와 간헐적 단식

출처: Patterson RE, Ann Rev Nutr 2017

그림 4-6　간헐적 단식을 하면 장내세균의 다양성이 증가하고 야식, 불면 등의 생활습관도 개선된다

이 음식에 지배받는 몸이 되지 않도록 만들어야 한다. 그래야 야식습관에서도 벗어날 수 있다. 간헐적 단식은 유해균의 증식을 막는 효과도 있는데 간헐적 단식을 하면 장내세균의 다양성이 증가한다.[50] 장내 환경이 개선되면 음식 중독에서 벗어나기도 수월해진다.

인슐린저항성과 간헐적 단식

탄수화물을 섭취해 혈당이 올라가면 췌장에서 인슐린이 분비된다. 인슐린의 역할은 무척 많지만 가장 중요한 일은 세포들이 포도당을 에너지원으로 이용할 수 있도록 도와주는 것이다. 인슐린이 정상으로 작동하면 탄수화물을 과식해도 혈당을 140mg/dL 미만으로 안정적으로 유지해준다. 하지만 현대인들은 인슐린 호르몬을 너무 혹사한다. 만약 인슐린이 피곤하고 지쳐 제대로 역할을 하지 못하면 어떻게 될까? 이것을 '인슐린저항성'이라고 하는데 쉽게 말해 인슐린 호르몬에 내 몸이 내성을 보이는 것이다. 약물에 내성이 생기면 전과 같은 용량으로는 더는 치료 효과가 없고 약물용량을 평소보다 늘려야 비슷한 효과를 보인다. 그래서 인슐린저항성이 생기면 예전의 분비량으로는 혈당조절이 되지 않고 혈당을 조절하기 위해서는 분비량을 평소보다 더 늘려야 한다.

인슐린을 열쇠, 인슐린수용체를 자물쇠에 비유해 보면 이해가 쉽다. 세포는 인슐린의 도움을 받아야 포도당을 이용할 수 있다. 혈액

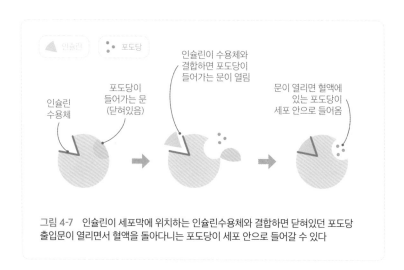

그림 4-7　인슐린이 세포막에 위치하는 인슐린수용체와 결합하면 닫혀있던 포도당 출입문이 열리면서 혈액을 돌아다니는 포도당이 세포 안으로 들어갈 수 있다

속을 돌아다니는 인슐린이란 열쇠가 세포막 표면에 있는 인슐린수용체란 자물쇠에 맞물리면 세포막의 문이 열리면서 혈액 속에 있는 포도당이 세포 안으로 들어간다. 그런데 인슐린 열쇠가 인슐린수용체 자물쇠에 제대로 맞물리지 못하면 어떻게 될까. 세포의 포도당 출입문을 열어주지 못하는데 이것이 바로 인슐린저항성이다. 그래서 인슐린저항성이 생기면 혈액 내 포도당이 세포 내로 들어가지 못하니 세포는 제대로 에너지를 만들어내지 못해 계속 배고픈 상태가 유지된다. 포도당 활용이 안 되니 혈당이 쉽게 떨어지지 않는다. 혈당이 계속 높게 유지되니 인슐린은 전보다 더 많이 분비되어야 한다.

　인슐린을 이해하려면 간, 근육, 지방과의 상관관계도 잘 이해해야 하는데 우선 정상적인 몸의 신진대사를 살펴보자.

　공복상태, 즉 저녁 식사를 마치고 잠을 자는 다음 날 아침 식사 전

인슐린저항성
혈중 인슐린의 표적장기의 반응이 정상보다 감소되어 있는 상태

정상 세포
혈당 정상, 혈중 인슐린 농도 정상,
세포 내 포도당 유입 정상

인슐린저항성 세포
혈당 상승, 혈증 인슐린 농도 상승,
세포 내 포도당 유입 저하

● ─ 포도당 ● ─ 인슐린

그림 4-8 인슐린과 인슐린 수용체라는 열쇠, 자물쇠 구조가 서로 제대로 작용하지 못해 포도당 출입문이 열리지 않는다

까지의 12시간 동안 우리 몸에는 음식이 들어오지 않는다. 저녁 식사 후 3~4시간이 지나면 혈당과 인슐린은 식사하기 전 베이스라인으로 떨어진다. 인슐린이 바닥에 있으면 간에서는 낮 동안 비축해두던 포도당을 방출하기 시작한다. 포도당을 고집하는 뇌에 안정적으로 포도당을 공급하기 위해서다. 간에서 방출되는 포도당으로 밤새 혈당을 안정적으로 유지한다. 이렇듯 뇌는 다른 세포와 달리 인슐린의 도움 없이도 간의 도움을 받아 포도당을 흡수해 이용할 수 있다. 인슐린 농도가 낮은 수준을 유지하고 있으면 지방조직에서는 지방분해가 본격적으로 일어나고 분해된 지방산은 혈액으로 방출되어 근육과 간을 포함한 대부분의 세포는 지방산을 주요 에너지원으로 이용한다.

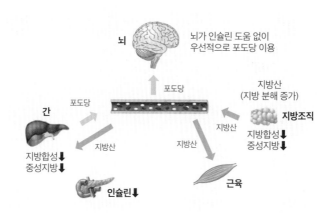

공복상태

뇌

뇌가 인슐린 도움 없이
우선적으로 포도당 이용

포도당

포도당

지방산
(지방 분해 증가)

간

지방조직

지방산

지방합성↓
중성지방↓

지방합성↓
중성지방↓

지방산

지방산

인슐린↓

근육

그림 4-9   공복상태에서는 인슐린이 기저상태에 있어 지방조직에서 지방산이 분해되어 나오고 간에서는 포도당이 방출된다

아침에 일어나 식사를 하면 혈당이 상승해 곧바로 인슐린이 분비된다. 인슐린은 뇌세포를 제외한 나머지 세포의 포도당 출입구를 활짝 열어 근육, 간 등이 적극적으로 포도당을 흡수, 이용할 수 있도록 돕는다. 혈당이 충분히 올라가 있으니 근육이 포도당을 먼저 쓰도록 양보해도 뇌는 안정적으로 혈당을 흡수할 수 있다.

인슐린은 지방분해를 빠르게 억제한다. 지방분해가 일어나지 않으니 지방조직에서 혈액으로 유입되는 지방산의 공급이 끊어지고 지방조직은 혈액 내 지방산을 다시 중성지방으로 비축한다. 남는 포도당은 간과 근육에서 글리코겐 형태로 비축된다. 간은 공복상태를 대비

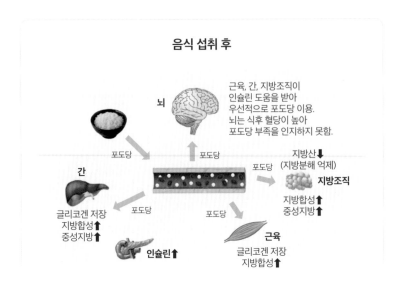

음식 섭취 후

근육, 간, 지방조직이
인슐린 도움을 받아
우선적으로 포도당 이용.
뇌는 식후 혈당이 높아
포도당 부족을 인지하지 못함.

뇌

포도당

포도당

지방산↓
(지방분해 억제)

포도당

지방조직

간

지방합성
중성지방↑

글리코겐 저장
지방합성↑
중성지방↑

포도당

포도당

인슐린↑

근육

글리코겐 저장
지방합성↑

그림 4-10   음식 섭취 후 인슐린 수치가 올라가면 간에서는 포도당 방출모드에서 포도당 유입모드로 바뀌고 지방조직에서는 지방분해 모드에서 지방합성 모드로 바뀐다

해 뇌에 안정적으로 포도당을 공급하기 위해서, 근육은 강도 높은 운동 등 포도당을 사용해야 하는 상황에 대비하기 위해서다.

위와 같은 신진대사가 정상적으로 작동하면 장기들끼리 포도당을 먼저 먹겠다고 싸울 일도 없고 우리 몸은 평화로워진다. 그러니 살이 찔 일도, 뱃살이 나올 이유도 없다. 그런데 현대인들은 과거와 비교해 신체활동량이 크게 줄었다. 심지어 깨어있는 시간 대부분을 앉아서 지내면서 혈당을 적극적으로 떨어뜨리는 허벅지 근육을 거의 사용하지 않는다. 혈당이 베이스라인까지 떨어져야 인슐린도 함께 떨어지면서 지방조직이 활용되는데 활동량이 없으니 혈당은 서서히 떨어진다. 그런데 이보다 더 큰 문제는 음식을 먹어 높여놓은 혈당이 미처 떨어지기도 전에 설탕 커피, 과일, 빵, 콜라, 아이스크림, 케이크, 초콜릿 같은 음식을 계속 먹으며 혈당을 올리는 상황이다. 심지어 잠자리에 들기 전까지도 혈당을 높이는 음식을 먹고 있다. 인슐린은 밤에는 휴식을 취해야 하는데 밤낮없이 일을 시키다 보니 인슐린이 과잉업무로 지쳐 내성이 생겨 결국 인슐린저항성 상태가 되어버린다.

인슐린저항성이 생기면 혈액 내 인슐린 수치가 상승한다. 지방분해는 억제되고 지방이 비축되는 상황은 더 자주 발생한다. 더 심해지면 공복 상태에서도 인슐린수치가 상승한다. 그렇다면 인슐린저항성이 있는 경우의 공복상태와 음식 섭취 시에는 어떤 변화가 일어날까.

인슐린저항성이 있는 경우 공복상태…

인슐린저항성이 있으면 음식을 먹지 않은 공복상태에서도 인슐린 수치가 상승해 있다. 지방분해가 억제되니 지방산이 제대로 혈액으로 들어오지 않고 혈액 내 포도당은 먼저 근육과 간으로 들어간다. 사용되고 남은 포도당은 지방 형태로 간과 근육에 쌓이고 지방간과 근육 내 축적된 지방은 인슐린저항성을 더 악화시킨다. 뇌는 안정적으로 포도당을 공급받아야 하는데 근육과 간에서 먼저 포도당을 사용해버리니 필요한 양이 뇌세포로 유입되지 않아 뇌는 스트레스호르몬을 분비해 인슐린 분비량을 줄여보려 하지만 제대로 작동하지 않는 인슐린과 스트레스호르몬이 만나면서 지방을 복부에 내장지방 형태로 비축하려는 반응이 더 강화된다. 견디다 못한 뇌는 음식 섭취욕

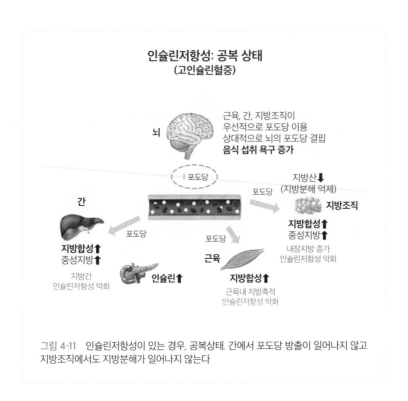

인슐린저항성: 공복 상태
(고인슐린혈증)

뇌

근육, 간, 지방조직이
우선적으로 포도당 이용
상대적으로 뇌의 포도당 결핍
음식 섭취 욕구 증가

포도당

지방산 ⬇
(지방분해 억제)

포도당

지방조직

지방합성 ⬆
중성지방 ⬆
내장지방 증가
인슐린저항성 악화

간

포도당

포도당

근육

지방합성 ⬆
지방산 ⬆
근육내 지방축적
인슐린저항성 악화

지방합성 ⬆
중성지방 ⬆
지방간
인슐린저항성 악화

인슐린 ⬆

그림 4-11 인슐린저항성이 있는 경우, 공복상태. 간에서 포도당 방출이 일어나지 않고 지방조직에서도 지방분해가 일어나지 않는다

구, 특히 혈당을 빠르게 높이는 탄수화물의 섭취욕구를 강하게 자극해 탄수화물이 유입되도록 만든다.

인슐린저항성이 있는 상태에서 음식을 섭취하면…

인슐린저항성이 있는 상태에서 음식을 섭취하면 혈액의 인슐린농도는 더 올라가고 간, 근육 및 지방조직에서 지방축적은 더욱 가속화된다. 높아진 혈액 내 포도당 농도로 뇌세포는 안정적으로 포도당을 공급받지만 과다 분비된 인슐린으로 혈당이 빠르게 떨어지고 뇌세포는 또다시 탄수화물 섭취 욕구를 자극한다. 인슐린저항성이 더 심해지는 악순환이 계속된다.

심지어 간에서 지방축적이 심해져 지방간이 되면 활성산소, 만성 염증 악화 등으로 인슐린저항성을 더 악화시키는 악순환이 계속된다. 근육에 비축되는 지방 역시 인슐린저항성을 악화시키는데 인슐린저항성이 더 심해지면 지방조직에서 지방분해를 억제하는 작용도 약화된다. 인슐린이 지방세포에서 지방산이 흘러나오지 않도록 틀어막고 있는 기능마저 손상되면 혈액으로 지방산이 쏟아져나온다. 이

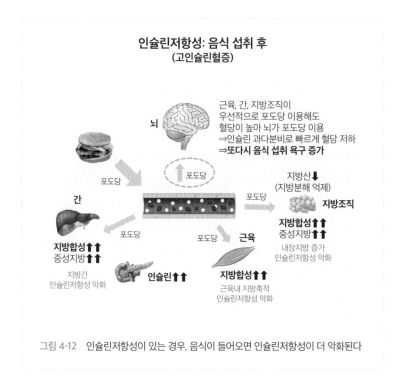

그림 4-12 인슐린저항성이 있는 경우, 음식이 들어오면 인슐린저항성이 더 악화된다

미 혈당이 높아져있는 상태에서 지방조직에서 방출된 지방산까지 높은 상태가 되니 혈관은 더 빠르게 손상되고 만성질환 역시 더 빠르게 악화한다.

이 상황을 해결할 방법은 무엇일까? 설탕, 흰 밀가루 등 정제 탄수화물 섭취를 제한하고 총 탄수화물 섭취량도 줄여 인슐린의 과다업무를 줄여주어야 한다. 취침 3~4시간 전에는 식사를 끝내 자는 동안 인슐린이 충분히 쉴 수 있게 만들어야 한다. 아울러 강도 높은 운동으로 근육내지방도 줄이고 신체활동량을 늘려 혈당을 안정적으로 유지해야 한다. 하지만 총 섭취칼로리를 줄이는 저칼로리식단을 지속하는 방법은 앞서 언급한 것처럼 부작용이 많다. 식사량을 줄여도 인슐린저항성이 있는 몸에선 인슐린이 충분히 휴식을 취하기 어렵다. 차라리 짧은 단식으로 음식공급을 제한해 인슐린을 푹 쉬게 만드는 건 어떨까? 이것이 간헐적 단식으로 얻을 수 있는 가장 큰 효과다.

지방간과 인슐린저항성, 그리고 대사유연성

날씬한 사람들은 평소 운동을 열심히 할까? 아니면 자제력이 뛰어나 케이크 한 조각 더 먹고 싶은 걸 꾹 참는 걸까? 그것도 아니라면 유전적으로 우월한 걸까? 이해가 쉽도록 우리 몸을 자동차에 비유해보자. 자동차마다 연비가 달라 똑같은 양의 가솔린을 넣어도 빠르게 소모되는 차가 있는가 하면 다른 차보다 주행거리가 더 긴 차도 있다. 연비가 좋은 차는 연료를 효율적으로 사용한다. 그렇다면 사람 몸은 어떨까?

건강한 몸은 필요한 만큼만 음식으로 연료를 얻는다. 연료가 아직 충분한데도 연료부족 신호가 켜진다든지, 반대로 연료가 부족한데도 경고신호가 켜지지 않는다면 어떻게 될까? 이미 차의 성능에 이상이 생겨 나타나는 이런 현상을 방치하면 차가 점점 더 망가지는 것과 마찬가지로 사람 몸도 비축해놓은 연료가 넘치는데 연료가 부족하다는 배고픔 신호를 시도 때도 없이 보낸다면 내 몸은 조금씩 조금씩 더 망가질 수밖에 없다. 그래서 체중과 허리둘레가 늘어나는 건 내 몸의 조절시스템이 무너지고 있다는 걸 알려주는 신호다.

식욕과 포만감을 관장하는 컨트롤타워는 뇌다. 렙틴과 인슐린 수용체를 통해 에너지섭취와 소모의 밸런스를 잡아준다. 하지만 음식으로 들어오는 연료를 효율적으로 소모할 것인가 비축할 것인가를 결정하는 컨트롤러는 간이다. 그래서 간 건강이 무너지면 인슐린저항성이 생기면서 신진대사의 효율성이 떨어진다. 안정시대사율의 약 20%는 뇌가 소모한다. 그렇다면 간은 어떨까. 뇌보다 더 많은 약 27%를 소모한다.[51]

간은 몸속 독소를 제거하고 호르몬을 생성하거나 조절하는 등 5백여 가지가 넘는 일을 한다. 하지만 이 중에서 가장 큰 역할은 대사유연성metabolic flexibility을 담당하는 것이다. 대사유연성이란 당을 최우선으로 에너지원으로 쓰지만 필요할 때 빠르게 스위치를 지방연소 모드로 변환시켜 당과 지방을 효율적으로 사용하는 것을 말한다. 대사

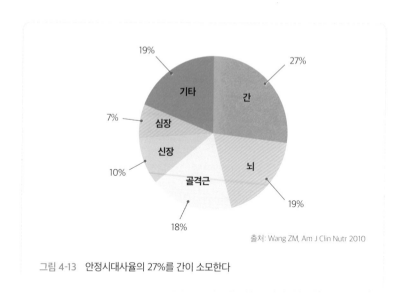

19%

27%

기타 **간**

7% **심장**

신장 **뇌**

10% **골격근**

19%

18%

출처: Wang ZM, Am J Clin Nutr 2010

그림 4-13 안정시대사율의 27%를 간이 소모한다

유연성이 좋은 몸은 연비가 높은 자동차에 비유할 수 있는데 그만큼 불필요하게 에너지를 낭비하지 않는다는 의미다.

건강한 간은 우리 몸에 들어온 탄수화물을 모두 사용하지 않는다. 음식이 들어오지 않을 때를 대비해 글리코겐 형태로 포도당을 비축해둔다. 에너지를 내는 영양소뿐 아니라 비타민, 미네랄 등 필수영양소들도 간에 비축해두었다가 필요할 때 꺼내서 사용한다.

그런데 이러한 간에 지방이 과도하게 쌓이면서 지방간이 되면 신진대사 조절에 이상이 생긴다. 최근 지방간 환자들이 늘고 있는데 나라마다 차이가 있지만 유병률은 미국 25~34%, 아시아권은 15~20%로 추정된다. 비만과 당뇨병 환자들의 경우는 43~92%로 일반 인구보다 훨씬 높은 유병률을 보인다. 간에 쌓인 지방은 중성지방

triglyceride이다. 간 내 쌓인 지방에서 가장 많은 부분을 차지하는 건 혈액을 돌아다니던 지방산이 간으로 유입되는 것이다. 간에서 남는 에너지원이 중성지방으로 바뀌는 건 5% 정도인데 과도하게 늘어난 혈액 내 지방산이 간으로 유입되는 상황은 이미 인슐린저항성이 한참 진행된 이후의 현상이다. 근육이 지방산을 제대로 사용하지 못하고 지방조직에서는 계속 지방산이 방출되는 인슐린저항성 상황에서는 지방간이 악화하고 지방간은 또다시 인슐린저항성을 악화시킨다. 이런 변화는 염증을 유발하는 물질의 활성을 증가시켜 만성염증과 산화스트레스를 일으키고 간세포 파괴, 염증 악화, 미토콘드리아 기능 저하 등을 초래하면서 인슐린저항성과 지방간을 더욱 악화시킨다.

사실 간은 원래 지방저장 창고가 아니다. 지방은 피하지방 조직에 쌓여야 하고 간의 저장창고에는 글리코겐만 보관해야 한다. 글리코겐은 혈액 내 포도당을 흡수해서 만드는데 간 내 중성지방은 지방을 보관하는 게 아니라 비정상적으로 지방이 쌓인 것으로, 앞서 언급한 이소성 지방이다. 중성지방은 포도당뿐 아니라 지방산, 케톤, 술 등 다양한 에너지원으로부터 만들어져 간에 쌓인다. 간에는 24시간 포도당만을 원하는 뇌에 안정적으로 포도당을 공급하기 위해 글리코겐을 보관해둘 창고가 충분히 확보되어 있어야 한다. 단식 중에도 혈당이 유지되는 건 간이 비축해둔 글리코겐을 분해해서 꾸준히 혈액으로 내보내 주기 때문이다.

그런데 간에 중성지방이 쌓이면 어떻게 될까. 글리코겐을 보관할 창고의 공간을 중성지방이 차지하면서 보관 창고가 좁아진다. 이런 상황에서 공복이 길어지면 혈당을 안정적으로 조절하지 못한다. 음식이 들어오지 않는 밤에 간에서 배출되는 포도당이 부족하니 깊은 잠을 이루기 힘들어진다. 낮에도 식사 시간을 조금만 넘기면 '당 떨어졌다'고 표현하는 가짜 저혈당 증상이 나타난다. 지방간으로 인슐린저항성이 심해지면 포도당이 간으로 들어오는 게 더 어려워지면서 악순환에 빠진다.

과일은 건강식인가

인슐린저항성이 생기면 간에 지방이 쌓이면서 지방간이 악화한다. 하지만 거꾸로 지방간이 먼저 생겨 인슐린저항성을 일으키기도 한다. 탄수화물을 먹으면 혈당이 올라가고 남는 포도당은 간에 글리코겐으로 비축된다. 그런데 이미 글리코겐 저장창고가 가득 차 있는데도 계속 탄수화물을 섭취하면 어떻게 될까. 비축할 공간이 없는데 계속 들어오는 포도당은 간에서 중성지방으로 전환되어 쌓인다. 지방간의 가장 큰 원인인 술을 마시지 않아도 밥, 빵, 면, 과일 등의 탄수화물을 과도하게 섭취해 지방간의 원인이 되어 술을 마시지 않는 여성들에게 생기는 '비알코올성 지방간'이 여기에 해당한다. 특히 과당은 간에서 포도당으로 전환되는데 일정량 이상 들어오면 간에서 중성지방으로 만들어버린다. 과당의 주요 공급원은 설탕과 액상과당이다.

과당의 두 번째 공급원은 바로 과일이다. 과일은 식이섬유와 미량 영양소가 풍부한 음식이지만 당분 함량이 높다. 특히 과당이 문제다.

옛 선조들처럼 과일을 어쩌다 먹는 상황에서는 아무 문제가 없었다. 당시엔 설탕도 가공식품도 없었으니 그나마 과일이 유일한 과당의 급원이었다. 지금은 어떤가. 밥이나 면을 주식으로 먹으면서 떡, 빵, 케이크가 수시로 들어온다. 여기에 과일이 추가되는데 일 년 내내 다양하게 먹을 수 있다. 과당을 과잉섭취하는 데 과일이 일조한다면 과일은 건강식이 될 수 없다. 과일은 건강한 사람에게는 건강식이지만 이미 인슐린저항성이 생긴 사람에겐 과일도 독이 될 수 있다.

체크!

콜레스테롤 수치를 낮추려면 포화지방을 줄여라?

혈액검사에서 콜레스테롤 수치가 높게 나오면 의사들은 포화지방 섭취를 줄이라고 말한다. 육류에 포화지방이 많으니 육류섭취를 줄이는 것부터 시작해야 한다는 말이다. 하지만 포화지방을 많이 먹어 콜레스테롤 수치가 올라가는 건 그 중간에 이미 지방간이 있는 상태에서 지방간을 더 악화시키기 때문에 그 결과로 콜레스테롤 수치가 더 올라간다는 게 나의 생각이다.

그렇다면 포화지방을 줄이는 쪽보다는 지방간을 개선하는 쪽으로 방향을 잡는 게 더 맞다. 지방간이 좋아질 수 있도록 당분간 술을 끊고 탄수화물, 특히 과당의 섭취를 줄여야 한다. 여기에 운동 자극과 간헐적 단식이 병행되면 지방간이 개선되면서 콜레스테롤 수치도 떨어뜨릴 수 있다.

Part 5

실전!
간헐적 단식

Hormesis
Intermittent
Fasting

1장

간헐적 단식을
시작하다

─────── 이제 간헐적 단식을 위한 구체적인 방법으로 들어가 보자. 앞서 시중에 떠도는 다이어트 방법들은 간헐적 단식을 포함해 여러 목적의 다이어트 방법들이 혼재되어 있다고 말했다. 간헐적 단식도 두 가지 목적으로 나뉘는데 지금 건강한 상태에서 더 건강하고 오래 살기 위한 목적으로 간헐적 단식을 시작할 것인가, 아니면 체지방과 뱃살을 빼기 위한 목적으로 간헐적 단식을 할 것인가에 따라 단식의 내용과 방법이 달라질 수 있다.

간헐적 단식을 시작하다

단식은 저칼로리식과 달리 아예 음식을 섭취하지 않고 굶는 것이다. 간헐적 단식은 짧게는 16시간에서 길게는 36시간까지 음식을 섭취하지 않는다. 대신 나머지 시간은 먹고 싶은 음식을 양을 제한하지 않고 편하게 먹으면 된다.

단식하는 날에는 아예 굶거나 한 끼를 평소 섭취에너지의 20~30%만 먹는다. 우리나라에 가장 잘 알려진 5:2 방법은 일주일 중 이틀만 하루 한 끼만 먹고 나머지 5일은 평소와 다름없이 편하게 잘 먹는 방법이다. 하지만 임상에서 가장 연구가 많이 된 방법은 격일단식Alternate Day Fasting,ADF 으로, 하루 잘 먹고 그다음 날은 물만 마시면서 완전히 굶는다. 이것을 반복해 주 3일을 굶는데 세 번의 36시간 단식이 이루어지는 셈이다. 격일단식에서도 단식일에 완전히 굶는 방법보다는 한 끼를 섭취하는 격일완화 단식Alternate Day Modified Fasting, ADMF 방식이 현실적으로 실천하기 쉽다. 하루 잘 먹고 그다음 날은 아침 혹은 저녁 한 끼만 먹고 나머지 끼니는 물만 마시면서 굶는다. 이를 반복해 세 번의 24시간 단식을 실천하는 방법이다. 그렇다면 간헐적 단식의 종류는 무엇이 있는지 자세히 살펴보자.

24시간 단식

가장 기본적인 방법이다. 전날 저녁 식사 후부터 24시간 굶고, 다시 저녁 식사를 하면 된다. 아니면 아침 식사를 하고 24시간 굶은 후 다음 날 아침 식사를 한다. 개인차이가 있겠지만 일주일에 한두 번이라면 누구나 무난하게 시도할 수 있다. 운동량이 많거나 평소 신체활동량이 많은 편이라면 주 1회 정도라도 효과를 얻을 수 있다. 주 2회 24시간 단식법이 5:2 방법이고, 주 3회 24시간 단식법이 ADMF다.

36시간 단식

24시간 단식은 단식하는 날의 저녁 한 끼를 먹지만 그 저녁 한 끼마저 거르면 36시간 단식이 된다. 전날 저녁 식사를 마치고 단식하는 날은 하루종일 물만 섭취한다. 36시간 후인 다음 날 오전에 첫 번째 식사를 한다. 주 3회 36시간 단식법이 ADF다.

16:8

16시간 동안 공복을 유지하고 나머지 8시간 동안에만 음식을 섭취한다. 간헐적 단식 측면에서 볼 때 단식시간은 24시간에 비해 짧지만 쉽게 실천할 수 있다는 장점이 있다. 넓은 의미에서 간헐적 단식의 한 종류지만 시간제한 다이어트에 속하는 방법이다.

전사 다이어트 (Warrior Diet, 20:4)

스파르타나 로마 고대국가 전사들은 낮에는 훈련이나 전쟁을 치르는 등 육체적 활동량이 많아 식사는 밤에 몰아서 했다. 하루에 섭취하는 칼로리의 대부분을 저녁 4시간 동안에 몰아서 먹는 방법이다. 이 역시 시간제한 다이어트에 속하는 방법이다.

1일 1식

하루 한 끼만 먹는 방법이다. 22~23시간의 단식 효과를 얻는다. 단기적인 체중감량에는 가장 좋은 효과를 주지만 필수영양소 결핍의 우려가 있고 근육을 키우기도 어렵다.

체중감량이 일어나는 원리는 단식하는 날 부족하게 먹은 만큼을 음식 먹는 날에 충분히 보상하지 못하기 때문이다. 단식한 다음 날 '간헐적 폭식(?)'을 걱정하는 사람들이 있는데 폭식이나 과식을 한다 해도 평소 섭취량에서 10~25% 정도 더 먹을 뿐이다. 여기에 안정시 대사율이 떨어지지 않기 때문에 지속적인 체중감량이 가능해진다. 꾸준히 적게 먹는 저칼로리 다이어트는 배고픔을 이겨내기가 쉽지 않지만 주기적으로 단식하면 다음 날 잘 먹을 수 있기에 배고픔을 다스리기가 쉽다.

간헐적 단식은 별다른 부작용이 없다고 말했지만 그렇다고 아무나 쉽게 시도할 방법은 아니다. 간헐적 단식을 하기 전 알아두어야 할 사항들도 있다. 평소 매 끼니 식사를 잘하던 사람이 갑자기 끼니를 거르게 되면 초반에는 적응하기 힘들다. 어지럼증, 피로감, 두통, 무력감 등의 증상이 나타날 수도 있다. 이런 경우에는 16시간 단식부터 시작하고 점차 익숙해지면 20시간 단식, 24시간 단식으로 서서히 늘려가면 된다. ADF는 간헐적 단식의 가장 극단적인 방법이므로 간헐적 단식에 익숙한 몸이 될 때까지는 권하고 싶지 않다.

처음에는 주 1일 24시간 단식부터 시작해 5:2 간헐적 단식으로 이어나가다 몸이 익숙해지면 ADMF, 즉 주 3일 격일완화 단식으로 넘어간다. 역시 동물실험이나 임상연구에서는 음식의 종류를 가리지 않고 마음껏 먹지만 체중감량과 건강회복이 목적이라면 좋은 탄수화물, 양질의 단백질, 좋은 지방을 마음껏 먹는 방법을 권장한다. 아울러 고강도 인터벌운동과 근력운동을 병행하면 효과는 배가된다.

하지만 여기에도 주의사항이 있다. 평소 탄수화물 중독이 있어 흔히 "당 떨어졌다."고 말하는 반응성 저혈당이 있는 사람에겐 익숙해질 때까지 서서히 단식시간을 늘려나가야 한다. 당뇨병이 있어 약물 복용 중인 환자의 경우 치명적인 저혈당 증세가 나타날 수 있어 주의가 필요하다. 따라서 간헐적 단식을 하기 전에는 반드시 의사와 상의해서 약을 끊거나 복용 중인 약물의 용량을 조절해야 한다.

노인에게는 단식이 부정맥이나 뇌졸중을 유발하는 요인이 되기도 한다. 혈당의 큰 출렁거림이 우울감 등 기분의 불안정을 줄 수도 있고 낙상 위험도 있어 골다공증이 있다면 골절 위험이 증가할 수도 있다. 간헐적 단식을 성장기 어린이, 임신한 여성, 격한 운동이나 육체노동을 하는 사람에게는 권하지 않는다.

건강하게 장수하기 위한
간헐적 단식법

간헐적 단식과 관련된 대부분의 연구는 음식의 종류를 가리지 않고 마음껏 먹게 했다. 동물실험에서는 고칼로리 고지방식을 먹게 했음에도 시간제한 다이어트나 간헐적 단식 방법으로 음식을 공급하면 체중이 더 늘지 않았다. 붉은털원숭이들을 대상으로 한 소식 관련 연구를 보면 음식의 양보다는 음식의 종류가 더 의미 있는 결과를 보였다. 그렇다면 건강식으로 소식을 실천하되, 소식의 방법으로 간헐적 단식을 해 보는 건 어떨까? 소식의 효과, 단식의 효과를 얻으면서도 안정시대사율의 저하나 근육 손실을 최소화할 수 있다면?

이 질문들이 박용우가 제안하는 건강하게 오래 사는 간헐적 단식법이다.

주 1일 24시간 간헐적 단식법

일주일 중 일정이 비교적 자유로운 하루를 선택한다. 단식하지 않는 날은 끼니를 거르지 말고 배고프지 않게 잘 챙겨 먹고 단식 전날 저녁은 평소보다 조금 일찍 먹는다. 저녁 식사가 끝난 시점에서 24시간이 지난 다음 날 저녁 식사를 한다. 예를 들어 전날 저녁 7시에 식사가 끝났다면 단식하는 날은 하루종일 물만 마시고 저녁 7시에 한 끼 식사하면 된다. 이 방법은 남녀노소 누구나 부담 없이 실천해 볼 수 있는 방법이다.

주 2일 24시간 간헐적 단식법

일주일 중 이틀을 하루 한 끼만 먹는 방법으로 요일을 정해 규칙적으로 실천하는 것이 편하다. 예를 들어 수요일과 토요일을 정해놓고 그날에는 하루종일 물만 마시다 저녁 식사 한 끼만 하는 방법이다. 주의사항은 연달아 이틀을 해서는 안 되며 단식하는 날 사이, 적어도 하루 이상은 충분히 잘 챙겨 먹는 날이 있어야 한다.

단, 간헐적 단식을 시행하는 날 두통, 어지럼증, 무력감, 집중력저하 등 불편한 증상이 심하게 나타난다면 단식을 중단하고 평소대로 식사를 유지하도록 한다. 아울러 아래의 생활습관을 잘 실천해야 간헐적 단식의 효과도 배가된다.

권고 사항

- 수면시간을 가급적 하루 7~8시간 유지한다. 적어도 매일 6시간 이상은 유지해야 하며, 일주일 중 4일 이상은 7시간 이상 잠을 자야 한다.
- 아침 식사는 전날 저녁 식사를 마친 시간으로부터 12~14시간 후에 섭취한다. 적어도 12시간의 공복시간은 꼭 지켜야 한다.
- 저녁 식사는 적어도 취침 3시간 전에는 끝내는 것이 좋다.
- 매 끼니 단백질 음식을 충분히 섭취해야 한다.
- 탄수화물의 총 섭취량은 신체활동량에 따른다. 강도 높은 운동을 했거나 평소보다 더 많이 활동했다면 탄수화물 섭취량을 늘려도 되지만 운동을 하지 못했거나 움직이는 시간이 적었다면 평소보다 섭취량을 줄인다.
- 과일은 당분 함량이 높으므로 하루에 1~2개 이상 섭취하지 않도록 한다. 저녁에는 과일 섭취를 가급적 피한다.
- 오래 앉아있는 행동을 가급적 피한다. 30분~1시간마다 일부러 일어나서 가볍게 몸을 움직여준다.
- 간헐적 단식과 함께 주 4회 이상의 규칙적인 운동을 꾸준히 시행하면 간헐적 단식의 효과가 더 커진다.
- 꾸준히 영양제를 먹는 것이 건강유지에 도움이 된다.

단식하지 않는 날 식사법

매 끼니 채소류와 양질의 단백질 음식이 포함되어 있어야 한다. 녹황색 채소, 뿌리채소, 줄기식물 등의 채소류와 해조류와 버섯도 포함되며 생선, 회, 굴, 조개, 새우, 게, 가재, 오징어 등의 해산물과, 두부, 달걀, 닭고기, 가급적 지방이 적은 부위의 소고기나 돼지고기 등 양질의 단백질 음식이 포함되어 있어야 한다. 채소와 양질의 단백질을 섭취하기 위한 약간의 양념, 그리고 코코넛오일, 올리브오일, 들기름, 아보카도오일, 포도씨유 등 좋은 지방도 허용된다.

매 끼니 채소와 단백질 음식을 챙겨 먹기 위해선 빵이나 면류보다는 밥을 먹는 것이 좋은데 현미밥이나 잡곡밥, 콩밥, 렌틸콩, 퀴노아가 들어간 밥을 선택하면 된다. 흰쌀밥을 먹는다면 채소와 반찬으로 배를 먼저 채운 뒤 먹는 것이 유리하다. 운동하지 않는 날이거나 신체활동량이 평소보다 적은 날은 밥양도 줄이는 것이 좋다.

단식하는 날 식사법

채소류와 충분한 양질의 단백질 음식을 섭취해야 한다. 단식일 첫 식사에 혈당을 빠르게 높이는 음식이 들어오는 것은 도움이 되지 않는다. 만약 밥을 먹는다면 채소나 단백질 반찬으로 배를 조금 채운 뒤에 밥을 먹는 것이 좋다. 건강에 도움이 되지 않는 음식은 가급적 적게 먹거나 피하는 것이 좋다.

뱃살과 체중감량을 위한
박용우의 간헐적 단식법, 격일완화 단식

격일완화 단식은 주 3일 24시간 간헐적 단식법이다. 말 그대로 격일로 단식하는 방법으로 격일단식^{ADF}은 단식하는 날 완전히 굶어 36시간 단식이 된다. 단식의 효과만을 생각한다면 가장 좋은 방법이다. 앞서 소개한 대로 건강한 성인은 격일단식을 6개월 이상 시행해도 큰 무리가 없었지만 건강한 사람이 아니라면 이야기가 조금 달라진다. 이미 인슐린저항성이 있거나 음식 중독이 심한 사람들이라면 부작용의 우려를 고려해야 한다.

격일완화 단식은 단식하는 날 한 끼만 먹는 방법이다. 즉, 24시간 단식하는 방법으로 24시간 단식은 당뇨병으로 약을 복용 중인 환자만 아니라면 누구나 해 볼 수 있는 방법이다. 다만 렙틴저항성, 인슐린저항성이 있고 써카디안 리듬도 깨져있는 몸이 갑자기 격일완화단식을 할 경우 자칫 안정시대사율이 더 떨어지거나 근육손실 위험이 클 수 있으므로 이 방법을 처음 시작하기보다 단계적인 진행을 권고하고 싶다.

첫 주에는 철저하게 탄수화물 섭취를 제한해서 지방대사의 스위치를 빨리 켤 수 있는 환경을 만든다. 다만 이때 인슐린저항성이 심한 사람들은 근육손실이 클 수 있기 때문에 단백질 섭취량이 충분해야 한다. 둘째 주에는 주 1회 24시간 단식을 시도해 본다. 처음 해 보는 단식이라 쉽지 않겠지만 만약 어지럼증이나 무기력함, 혹은 두통 등의 증상이 심하게 나타나면 단식을 중단하고 평소대로 식사한다.

16시간 단식에서 20시간 단식으로, 그리고 24시간으로…. 이렇게 서서히 적응해 보는 것도 나쁘지 않다. 하지만 이렇게 할 정도로 단식이 어렵다는 건 이미 몸이 정상이 아니라는 의미다. 인슐린저항성이 심하거나 탄수화물 중독이 심한 몸이다. 건강한 몸이라면 단식하는 날 오히려 몸이 편안해야 한다. 위장관이 휴식을 취하고 음식이 들어오지 않으니 속이 편해지고 몸이 가볍다는 느낌이 들어야 한다. 음식 섭취를 하지 않으니 음식을 먹었을 때 위장관으로 몰려갈 혈액이 대신 뇌에 지속해서 혈액이 공급되어 머리가 맑아야 한다. 그래서 처음엔 단식이 힘들어도 점차 실천하기 수월해지다가 어느 날부터는 몸이 가벼워지고 머리가 맑아지며 건강도 그만큼 좋아진다.

셋째 주에는 주 2회 24시간 단식을 해 본다. 이미 단식을 한 번 해 본 몸이라 처음만큼 힘들지는 않다. 배고픔도 처음보다 훨씬 덜하고 참을 만할 것이다. 그리고 넷째 주에 주 3일 24시간 단식, 격일완화단식을 해 본다. 7일이라 하루의 여유가 있기 때문에 약간의 융통성을 발휘할 수 있다. 월수금 혹은 화목토에 24시간 단식을 하고 일요일에 정상식사를 해도 좋고 주중에 이틀, 주말에 하루를 선택해서 시행해도 좋다. 내 경험은 뒤에서 자세히 다루겠지만 나는 2019년 9월에 한 달간 격일완화 단식을 시행했고 약 6kg의 체중감량 효과를 얻었다.

그렇다면 격일완화 단식은 언제까지 해 볼 수 있을까? 격일완화 단식은 뱃살과 체중을 감량하는 방법이다. 그렇다고 한없이 체중과 체지방이 빠지지는 않고 간헐적 단식에도 정체기가 찾아온다. 체지방이 빠지고 근육량이 줄어들면 저칼로리 식단과 마찬가지로 어느 순간 안정시대사율이 떨어진다. 쉽게 말해 몸이 체지방이 줄어든 걸 눈치채고 더 이상의 체지방 감소를 막으려 들 것이다. 격일완화 단식을 해도 체중과 체지방이 계속 빠지고 근육단백의 손실이 없다면 이 방법을 계속 지속해도 된다.

하지만 주 3일간의 단식을 하는데도 불구하고 체중의 변화가 없거나 체중은 줄어드는데 체지방보다 근육단백이 더 많이 빠진다면 안정시대사율이 떨어지고 정체기가 찾아온 것으로 이때는 격일완화 단식을 지속해도 그 효과가 떨어진다. 오히려 주 2일 단식이나 주 1일 단식으로 되돌아가 더 잘 챙겨 먹어야 한다. 여기에 체중이 다시 늘지 않도록 운동강도를 높이고 신체활동량을 더 많이 늘려야 한다. 몸을 추스르면서 안정시대사율이 다시 올라갈 때까지 기다리는 것이다. 이때 중요한 점은 근육손실이 없도록 탄수화물과 단백질을 잘 챙겨 먹어야 한다는 것이다. 체중의 변화가 없다고 욕심내서 식사량을 더 줄이거나 36시간 단식을 하면 안정시대사율이 더 떨어지면서 오히려 근육단백이 빠지는 부작용이 생긴다.

앞서 소개한 건강하고 오래 살기 위한 간헐적 단식법과 마찬가지로 아래의 생활습관이 예외 없이 충실하게 수행되어야 원하는 효과를 빠르게 얻을 수 있다.

권고 사항

- 수면시간을 가급적 하루 7~8시간 유지한다. 적어도 매일 6시간 이상은 유지해야 하며, 일주일 중 4일 이상은 7시간 이상 잠을 자야 한다. 렙틴저항성과 인슐린저항성을 빠르게 개선하기 위해서는 하루 7시간 이상의 수면을 최대한 지키는 것이 유리하기 때문이다.
- 아침 식사는 전날 저녁 식사를 마친 시간으로부터 14시간 후에 섭취한다. 적어도 12시간의 공복 시간은 꼭 지켜야 하며 14시간의 공복을 유지하면 체중감량에 훨씬 유리하다.
- 저녁 식사는 적어도 취침 3시간 전에는 끝내는 것이 좋다.
- 매 끼니 단백질 음식을 충분히 섭취해야 한다.

- 탄수화물의 총 섭취량을 잘 조질해야 한다. 다이어트 기간에 탄수화물은 가급적 밥의 형태로 먹는 것을 추천한다. 굳이 현미밥, 잡곡밥을 챙겨 먹을 필요 없고 흰쌀밥을 먹어도 괜찮다. 다만 밥 양은 공깃밥 반 그릇 정도로, 채소와 단백질 반찬으로 배를 채우도록 한다. 렌틸콩, 귀리, 퀴노아 등을 밥에 섞어서 양을 늘리면 좋다. 강도 높은 운동을 했거나 평소보다 더 많이 활동했다면 밥 양을 조금 더 늘리거나 고구마 등을 추가로 섭취해도 되지만 운동을 하지 못하거나 움직이는 시간이 적었다면 평소보다 섭취량을 줄여야 한다.
- 과일은 당분함량이 높으므로 하루 1개를 넘지 않도록 한다. 박용우 다이어트에서는 첫 2주간 과일 섭취를 금지한다.
- 오래 앉아있는 행동을 가급적 피한다. 30분~1시간마다 일부러 일어나서 가볍게 몸을 움직여준다.
- 주 4회 이상의 규칙적인 고강도 인터벌운동을 반드시 시행해야 한다. 15층 이상 계단오르기, 고정식 자전거타기 등 숨이 턱에 찰 정도의 운동자극을 반복적으로 주어 이소성 지방을 빠르게 제거해야 지방을 잘 쓰는 몸으로 바뀐다. 간헐적 단식을 하는 날 고강도 인터벌운동을 하면 효과가 배가된다. 근육량을 늘리기 위해 웨이트트레이닝을 한다면 단식하지 않는 날 하거나 단식하는 날은 저녁 식사 시간에 가깝게 시간을 잡아 운동한다.
- 영양제를 꾸준히 먹으면 효과가 더 커진다.

단식하지 않는 날 식사법

근육단백의 손실을 막고 배고픔을 다스리기 위해 하루 네 끼 식사를 추천한다. 이 중 두 끼는 단백질셰이크의 형태로 섭취해도 좋다. 일반 식사에서는 매 끼니 채소류와 양질의 단백질 음식이 포함되어 있어야 한다. 채소류에는 해조류와 버섯도 포함된다. 두부, 달걀, 생선, 회, 해산물(굴, 조개, 새우, 게, 가재, 오징어 등), 닭고기, 소고기나 돼지고기(가급적 지방이 적은 부위) 등 양질의 단백질 음식이 포함되어 있어야 한다. 채소와 양질의 단백질을 섭취하기 위한 약간의 양념, 그리고 코코넛오일, 올리브오일, 들기름, 아보카도오일, 포도씨유 등 좋은 지방은 허용된다.

단식하지 않는 날은 포만감을 느끼도록 충분한 양을 섭취해야 한다. 하루 네 끼를 꼭 챙기고 가급적 끼니를 거르지 말아야 한다. 여기에 금기식품을 철저히 피해야 효과가 빠르게 나타난다.

다이어트 기간 중 철저하게 금해야 하는 식품

- 설탕, 액상과당: 청량음료, 커피믹스, 주스, 과일향 우유, 당분함량 높은 두유, 당분이 첨가된 요거트, 과자, 빵, 케이크, 초콜릿
- 트랜스지방: 케이크, 전자레인지용 팝콘, 각종 스낵, 도넛, 튀김 요리 등
- 술
- 밀가루 음식: 빵, 케이크, 국수, 라면, 파스타, 자장면 등
- 동물성 포화지방이 상대적으로 많은 음식: 삼겹살, 대창 등

단식하는 날 식사법

채소류와 양질의 단백질 음식이 포함되어 있어야 하며 단백질 음식을 충분히 섭취한다. 단식일에 단백질 섭취량이 충분할수록 단식이 성공할 가능성이 커지기 때문이다. 단식하는 날에도 탄수화물 조절이 필요한데 단백질에 저탄수화물식이 더해지면 인슐린을 크게 자극하지 않지만 단백질에 고탄수화물식이 더해지면 인슐린이 더 크게 상승하기 때문이다.

간헐적 단식을 해도
체중감량 효과가 나타나지 않는다면

간헐적 단식을 하면 평소보다 섭취량이 줄어들기 때문에 체중계 눈금이 내려가야 한다. 단순히 칼로리를 줄이는 저칼로리식을 하면 안정시대사율까지 떨어뜨려 정체기가 찾아오지만 간헐적 단식은 안정시대사율을 떨어뜨리지 않아 조금씩 체중이 빠져야 한다. 그런데 간헐적 단식을 시작했는데도 체중이 빠지지 않는다면? 혹시 다음의 경우에 해당하는 건 아닌지 생각해 보자.

부정적 스트레스는 체중감량을 방해한다

앞서 굶주림과 단식은 다르다고 말했다. 건강한 몸을 만들기 위한 의도적인 단식은 긍정적 스트레스eustress로 작용한다. 그런데 먹고 싶은 음식을 못 먹는다는 생각, 배고픔이 고통스럽게 다가오는 상황

등 다이어트 자체가 스트레스가 되면 몸은 '위기상황'으로 감지해 체지방을 아끼려 든다. 그동안 쌓인 만성피로를 제대로 풀지 못했다든지, 낮에 커피를 과도하게 마셔 밤에 숙면을 취하지 못한다든지, 빨리 살 빼고 싶은 욕심에 하기 싫은 운동을 하루 3시간 이상 억지로 한다든지 하면 몸은 부정적 스트레스distress로 식욕조절이 되지 않고 근육이 빠지는 등 다이어트에 실패할 가능성이 커진다.

금기식품을 먹었다

시간제한 다이어트든 간헐적 단식이든 체중감량이 목적이라면 음식의 선택이 중요하다. 어떤 음식이든 마음껏 먹어도 된다고 하는 건 그렇게 먹어도 체중이 더 늘지 않는다는 의미이지 아무 음식이나 먹어도 체중이 빠진다는 의미가 아니다. 체중이 늘어나는 건 내 몸이 예전보다 건강하지 않기 때문에 나타난 증상이기에 몸이 더 건강해져야 비로소 체지방이 빠진다. 건강한 몸을 만들기 위해서는 건강에 유해한 음식을 철저히 피해야 한다. 복부 내장지방과 지방간이 좋아질 때까지만이라도 술, 설탕, 흰 밀가루 음식 등의 금기식품을 제한해 보자.

나도 모르게 단식일에 무언가를 먹었다

격일완화 단식은 아침이든 저녁이든 하루 한 끼만 먹어야 한다. 그런데 한 끼 식사 외에 방탄커피, 카페라테, 인공감미료나 당분이 들어간 음료, 다이어트 보조식품 등을 섭취하다 보면 에너지를 내는 영양소로 인해 단식의 효과가 떨어질 수 있다. 가장 좋은 방법은 단식하는 날은 한 끼 식사 외에 물만 마시는 것이다.

움직임이 없었다

운동은 신체활동의 일부일 뿐이다. 그래서 운동하지 않는 나머지 시간 동안 앉아있는 시간을 줄이고 얼마나 움직였는지도 중요하다. 단식하는 날 기운이 없다고 하루 종일 앉아있고 움직임이 없으면 지방창고의 문이 열리지 않는다. 단식하는 날 의도적으로 많이 걷고 움직여야 체지방감량에 유리하다.

2장

간헐적 단식의
궁금증

———————— 간헐적 단식이 사람들 입에 오르내린 지 제법 시간이 많이 지났음에도 간헐적 단식의 정의와 목적, 방법 등을 잘못 알고 있는 사람들이 이외로 많다. 최근 인터넷이나 SNS를 통해서도 간헐적 단식이 많이 소개되고 있지만 전문가를 자처하는 사람들조차 간헐적 단식의 잘못된 정보를 전달하는 경우가 적지 않다. 그래서 이 장에서는 간헐적 단식과 관련해 많은 사람이 궁금해하는 질문들을 몇 가지 소개하려 한다.

Q. 간헐적 단식을 시작했더니 변비가 생겼어요

식사량이 줄면 변비가 올 수 있다. 하지만 간헐적 단식은 평소 잘 챙겨 먹으면서 간간이 단식하는 방식이기 때문에 매일 적게 먹어서 생기는 변비와는 다르다. 간헐적 단식을 하면 장내미생물의 분포가 바뀌어 일시적으로 변비가 생길 수는 있다. 그럴 땐 유산균 복용량을 더 늘리고 잘 챙겨 먹는 날에는 채소, 해조류 등 식이섬유가 풍부한 음식을 더 챙겨 먹도록 한다. 그래도 변비가 개선되지 않는다면 의사와 상담해 가벼운 변비개선제를 처방받아 복용하는 것이 좋다.

Q. 단식하는 날 배고픔이 심한데 참고 견뎌야 하나요?

평소 배고플 때마다 습관적으로 무언가를 먹었다면 단식할 때 배고픔으로 힘들 수 있다. 하지만 배고픔은 지속되지 않는다. 대사유연성이 좋은 몸은 곧바로 지방을 에너지로 연소하기 때문에 배고픔이 심하지 않지만 지방을 잘 쓰지 않는 몸은 배고픔과 함께 두통, 현기증이 나타날 수도 있다. 이럴 때는 물을 마시면 도움이 되고 오전이라면 블랙커피 한 잔을 마시는 것도 좋다. 배가 너무 고파 쓰러지거나 하는 일은 절대 생기지 않으니 불필요한 걱정은 하지 않아도 된다.

Q. 단식하는 날 속 쓰림이 심하면 무언가를 먹는 게 더 나을까요?

평소 위산 분비가 많은 사람이라면 단식하는 날 속 쓰림 증상을 경험할 수 있다. 가벼운 속 쓰림은 시간이 지나면서 저절로 없어지지만 증상이 심하다면 단식을 중단하고 음식을 먹는 것이 더 낫다. 평소 역류성식도 질환이 잘 생기는 사람이라면 식사 후 적어도 30분 이내에 눕지 않도록 한다.

Q. 단식 후에 과식하게 되는데 괜찮나요?

단식 후 첫 번째 식사는 평소보다 더 많이 먹게 된다. 식탐이 많아서가 아닌 정상적인 반응이다. 단식 후 많이 먹어도 단식으로 먹지 않은 양까지 넘어서진 않는다. 다만 첫 번째 식사에서 혈당을 빠르게 높이는 빵이나 과일을 먹기보다는 포만감을 주는 채소와 단백질 음식을 주로 챙겨 먹으면서 밥이나 통곡류의 탄수화물을 섭취하는 것이 바람직하다.

Q. 평소 식후에 복용하는 약이 있는데 단식 중에는 어떻게 하나요?

아스피린이나 소염진통제 같은 약물은 빈속에 먹으면 속 쓰림 등의 부작용이 생길 수 있어 식후에 복용하도록 처방하는 경우가 많다. 따라서 식후 약을 복용 중이라면 담당 의사에게 단식 기간에 계속 빈속에 복용해도 되는지, 중단해야 하는지 문의해야 한다.

체크! ─────────────────────────────────

아침 식사와 간헐적 단식

영양섭취가 부실하고 영양불균형이 심했던 시절에는 규칙적인 식사가 중요했다. 특히 하루의 시작을 아침을 먹고 시작해야 하루 종일 든든했다. 사실 아침 식사가 중요해진 건 산업혁명 이후의 일로 일터에 나가기 전 든든하게 먹기 위해서다. 저녁 식사도 지금 같은 시간과 형태로 자리 잡힌 건 인공조명이 밤을 낮처럼 환하게 밝힌 이후부터로 봐야 한다.

고대 전통 중의학에서는 탄수화물이 풍부한 음식을 섭취할 최적의 시간대를 오전 7시부터 11시 사이라고 보았고, 몸이 활동기인 양의 기운에서 휴식기인 음의 기운으로 넘어갈 때 느지막이 하는 식사는 소량 섭취할 것을 권고했다. 이런 관습은 에너지밀도가 높은 음식을 저녁에 먹으면 수면을 방해하거나 신체의 생리적 기능을 떨어뜨릴 것이라는 믿음에서 나왔다. 중세 영국에서는 저녁 식사 시간이 해가 지기 시작하는 오후 4시부터 6시경이었고 하루 중 식사량이 가장 많은 주식은 정오에서 오후 1시에 하는 점심 식사였다. 그러다 오일램프가 등장하면서 주식이 저녁 시간으로 점차 이동했고 점심 식사는 아침과 저녁 사이의 공복을 줄여주는 가벼운 식사로 자리 잡았다.

산업혁명이 일어나면서 노동자들은 오전과 오후 일과 사이에 짧게 점심 식사를 해야 했다. 산업혁명의 영향을 받지 않은 스페인이나 이탈리아 같은 나라는 여전히 점심 식사가 주식이다. 지금도 지중해 국가들은 점심 식사에 하루 총 섭취에너지의 40%를 얻지만 다른 유럽국가는 20% 정도밖에 되지 않는다.

실내등이 더욱 밝아지면서 저녁 식사 시간은 더 늦어져 저녁 식사 이후 음식 섭취도 늘어났다. 실내등으로 밤이 낮처럼 밝아지면서 사람들의 행동에도 변화가 왔는데 수면시간이 늦어졌고 불규칙해진 것이다. 밝은 실내등, 컴퓨터 모니터, 텔레비전 등으로 인해 충분히 주어져야 하는 밤이 짧아졌다. 미국의 국민건강영양조사 결과를 보면 저녁 식사와 저녁 식사 이후의 음식 섭취가 총 에너지섭취의 약 45%를 차지한다.[52] 그러다 보니 하루에 몇 끼를 먹는가도 의미가 있지만 언제부터인가 무얼 먹는가가 건강에 더 크게 영향을 준다고 보고 있다. 탄수화물을 줄이고 지방을 더 먹어야 한다는 주장도 여기서 나왔다.

현재까지 발표된 역학연구를 살펴보면 아침 식사를 거르는 사람보다 챙겨 먹는 사람들에서 비만 위험이 낮게 나온다. 아침 식사를 거르는 사람들은 챙겨 먹는 사람들과 비교해 심혈관질환 발병 위험이 27% 높게 나타난다. 그렇다면 무조건 아침을 챙겨 먹어야 할까.

써카디안 리듬과 12시간 공복의 개념에서 본다면 저녁 식사를 6~7시에 끝내고 다음 날 8시에 아침 식사를 하는 건 건강에 도움이 된다. 하지만 늦은 시간까지 식사하고 나서 미처 12시간의 공복을 만들지 못한 상태에서 아침 식사를 하는 것도 건강에 유리할까? 특히 인슐린 호르몬이 충분한 휴식을 취하지 않은 상태에서도 아침은 꼭 먹어야 하는 걸까?

최근에는 아침 식사를 하는가 거르는가 보다는, 생체시계의 교란이 건강에 더 많은 영향을 준다는 연구결과들이 많이 나온다. 생체시계 교란이 오히려 비만과 심혈관질환을 유발한다는 뜻이다. 그래서 부득이 저녁 식사 시간이 늦었다면 취침 전까지 의도적으로 신체활동을 유지해 혈당과 인슐린을 빨리 떨어뜨리고 마지막 식사를 끝낸 시간에서 12시간이 지난 다음 날 첫 번째 식사를 하는 것이 써카디안 리듬과 신진대사를 고려한다면 더 현명한 선택일 수 있다.

3장

간헐적 단식
체험기

────── 2017년부터 우리나라 대기업 임직원들에게 '박용우 다이어트'로 생활습관을 바꾸는 라이프코칭을 시작했고 2018년부터는 간헐적 단식을 프로그램에 집어넣어 훨씬 좋은 결과물을 만들어낼 수 있었다. 하지만 처음에는 나 스스로 그 결과를 확신하지 못했다. 회사 생활을 하면서 하루 종일 굶는 단식 미션을 과연 제대로 실천할 수 있을까? 운동을 제대로 못 하는 상황에서 단식하면 근육단백이 더 빠지지 않을까? 굶어서 체중을 줄였다가 다시 먹기 시작하면 요요현상이 생기는 건 아닐까?

하지만 프로그램을 이끌어가다 보니 생각보다 반응이 훨씬 좋았다. 첫 주엔 탄수화물 제한 식사요법으로 시작하고, 둘째 주부터 탄수화물 섭취량을 점차 늘려가면서 2주 차엔 주 1회 24시간 간헐적 단식, 3주 차엔 주 2회 24시간 간헐적 단식을 시행했다. 나는 2019년 나

스스로에게 4주간 격일완화 단식을 무사히(?) 잘 끝낸 뒤부터는 4주 차 프로그램에 주 3회 24시간 간헐적 단식을 추가했다. 다음은 박용우 4주 다이어트로 좋은 결과를 보인 사람들의 체험기를 소개해 보려 한다.

그들, 간헐적 단식을 시작하고 말하다

1. 윤OO (남, 47세)

감사합니다. 덕분에 살도 많이 빠지고, 더 건강해지고, 좀 더 활기찬 제가 된 듯합니다.

처음 단식을 할 때는 무기력해져 누워만 있었습니다. 그러다 점차 단식에 익숙해지니 다음 날 아침에 몸이 가볍고 활기가 넘침을 느꼈습니다. 집중력이 향상되고, 활기가 생기면서 시간만 허락하면 밖으로 나가 계속해서 걷고 또 걷고 싶어졌습니다. 무엇보다 허리둘레가 가장 크게 줄었네요. 눈에 띄게 활기차고 긍정적으로 변화된 제 생각과 행동들을 보게 되었습니다. 피부 가려움증이 있었는데 그것도 많이 없어졌고요.

지금도 몸무게가 증가하면 간헐적 단식과 하루 2만 보 걷기를 합니다.

2. 박OO (남, 41세)

2주 차에 처음 시작한 단식은 아주 힘들었던 것 같고, 다음 날 식사를 할 때까지 기운도 없고, 두통이 계속 있었던 걸로 기억이 납니다. 3주 차에는 주 2회 단식을 했는데 2주 차 단식보다는 훨씬 수월했고, 몸도 아주 가벼워지고, 머리도 맑은 느낌을 많이 받았습니다. 먹지 못해서 약간 무기력한 느낌은 계속 있었고요. 그리고 마지막 4주 차에는 격일완화 단식을 하면서는 그동안 단식이 많이 익숙해져 배고픔도 참을 만했고, 몸도 다이어트 시작할 때보다 많이 가벼워져 더 좋았던 것 같습니다. 그런데 결과가 체지방과 근육이 같이 빠져서 격일단식은 너무 무리한 것으로 판단했었습니다.

현재는 3주 차 진행한 것과 동일하게 단식을 계속 유지하고 다이어트를 지속 중입니다. 일주일 중 화, 목요일에 24시간 간헐적 단식을 시행하고, 매일 12,000보 이상 걷기와 헬스를 병행하고 있습니다. 박용우 다이어트 프로그램이 끝난 이후로도 현재 체지방 3.4Kg, 체중 3.8Kg 감량하고 계속 지속해서 유지하고 있습니다. 체지방량과 체지방률이 표준으로 내려갈 때까지 계속해서 할 예정이고, 이후에는 단식 횟수만 조절해서 표준 체중을 유지할 계획입니다.

제 개인적인 생각으로는 간헐적 단식이 체지방 감량에 많은 도움이 되는 것 같습니다. 단식하지 않을 때는 체중이 약간 오르거나 변화가 없는 것 같다가도 단식하면 다시 원래 체중으로 돌아오거나 조금 더 줄어드는 효과를 보는 것 같습니다. 그날의 컨디션에 따라 아직도 배고픔을 참기 힘든 날과 오히려 배 속이 더 편안한 느낌이 드는 날이 있습니다.

3. 나OO (남, 50세)

저는 고혈압약을 복용하던 중 2019년 건강검진 결과, 당뇨약 복용이 필요하고 고지혈약도 추가할 필요가 있다고 해서 한 달간의 다이어트를 해 보고 추이를 살펴보기로 담당 선생님과 이야기하고 다이어트 프로그램에 참여했습니다. 다이어트 때문에 저녁 약속도 없이 집에 와서 일찍 잠들기 어렵고, 회식에 참여해서는 술 대신 500cc 물을 3잔 이상 마시고… 그런 부분이 힘들었습니다. 다만 3주 차부터는 적응이 되어서인지 간헐적 단식이 그리 어렵게 느껴지지 않았습니다.

힘들기는 했지만 저의 경우 갑자기 상승한 혈당과 내장지방이 현격히 감소해 사내 병원에서 당뇨약을 처방하려다 1개월 연기한 것인데 혈당이 안정적으로 돌아와 혈당약도 복용하지 않고 오히려 혈압까지 안정적으로 돌아와 혈압약도 줄이는 것을 검토 중입니다. 한 달간의 경험이었지만 다이어트 참여 이후 피트니스를 하면서 지속해서 체중을 확인하고, 체중이 늘어나면 식사량이나 운동량을 조절해가면서 더 이상 늘어나지 않도록 조절하는 습관이 생겼습니다.

혈당을 낮춰 당뇨약을 복용하지 않는 것이 가장 큰 수확이라면 꾸준히 체중을 확인하면서 체중 증가가 지속되지 않도록 조절하는 습관을 들이게 된 것이 두 번째 수확인 것 같습니다.

4. 서OO (남, 30세)

하루 세 끼 먹는 것을 당연하게 생각하고 있던 터라 처음에는 간헐적 단식에 거부감이 있었던 게 사실이었습니다. 하지만 교수님 말씀을 듣고 생각해 보니 가만히 앉아서 업무를 보는 것이 일과인 사무직 직장인들의 경우 농경시대 정착된 습관을 버려야 하는 것이 오히려 당연하다는 생각이 들었습니다.

평소 식탐이 많았던 터라 간헐적 단식을 위해 아예 냉장고를 비워버리고 "단 일주일만이라도 확실하게 교수님의 미션대로 수행해 보자. 건강에 이상이 생기면 그때 생각하면 된다."라고 생각하며 진행했습니다. 그런데 일주일, 이주일 결과가 나올 때마다 매우 고무적인 결과가 나왔으며 이 결과는 또 다른 동력이 되어 과정 끝까지 예외 없이 간헐적 단식을 실천할 수 있었습니다.

저는 둘째 주부터 일주일에 2일 단식을 수행했습니다. 평일에 한 번, 주말에 한 번 수행했는데 식사 시간이 되면 밥 생각이 나는 평소 습관과 싸우는 것이 힘들었습니다. 단식할 때는 뭔가 배 속이 허전하다는 느낌을 받았지만 퇴근 후 집중할 수 있는 피아노나 게임 등의 활동들을 하면서 음식 생각이 나지 않도록 노력했습니다.

그 결과 먹을 것이 먹을 것을 부른다는 말이 맞다고 느꼈습니다. 오히려 단식을 진행하면서 속이 더부룩한 느낌이 사라졌고 간헐적 단식이 적응될수록 배고프다는 느낌 또한 사라졌습니다. 하다 보니 1일 뿐만 아니라 2일, 3일도 계속해서 단식할 수 있겠다는 생각까지도 들었지만 1일 이상 지속하게 될 경우 근육손실이 올 수 있다는 말을 들어 자제했습니다.

또한 단식과 단백질 위주의 식단을 병행하니 식사량이 자연스럽게 조절되는 느낌이었습니다. 공복과 공복이 아닌 느낌이 어떤 느낌인지를 알게 되었습니다. 저는 단식을 하면서 기운이 더 난다는 느낌은 받지 못했는데 이건 개인 차이가 있는 것 같습니다. 다만 일상생활에 무리가 없는 수준이었습니다.

주 2회 단식의 경우 24시간 단식이 보편적이라고 해서 무조건 24시간

을 진행하지 말고 매주 체지방 검사를 통해 자신에게 맞는 단식 사이클을 찾는 것이 좋을 것 같다는 게 개인적인 생각입니다.

5. 박OO (남, 37세)

프로그램을 처음 시작할 때 반신반의했습니다. 그동안 다이어트를 안 해 본 것도 아니고 다이어트를 했을 때는 효과가 있다가도 다시 원래의 생활 습관으로 돌아가면 어김없이 실패의 길로 들어섰기 때문에 두려움이 앞섰습니다. 처음 단식할 때는 불안해서 심리적으로 단식 전에 평소보다 더 많이 먹어야겠다고 생각했습니다. 하지만 단식에 익숙해지면서 심리적으로 안정감을 받았습니다. 저 같은 경우는 포만감을 느끼면서 많이 먹는 걸 좋아하는 사람이라 음식을 다 먹고 나서 죄책감을 느낀다든가 다시 살이 찌지 않을까 하는 두려움이 있었는데 하루 정도 단식하고 나니 몸도 불안감도 비울 수 있는 계기라고 생각되어 도움이 되었습니다.

간헐적 단식의 효과는 신체적으로는 배가 고프다는 신호를 더 민감하게 느낄 수 있게 해줍니다. 평상시 14시간 공복은 습관처럼 지키고 있어서 공복시간에 그다지 배가 고픈 느낌을 받기 어려운데, 공복 24시간 정도 지나면 배가 고파서 뭘 먹어야겠다는 생각이 들 때가 있습니다. 그럴 땐 혈당 변화를 체크해서 내 몸 상태를 알 수 있게 해줍니다.

제가 이 프로그램 참여 전에는 당뇨약을 먹고 혈당을 조절했는데 이 프로그램을 시작하면서 약을 끊고 지금까지 잘 유지하고 있습니다. 24시간 단식을 시작할 때 혈당을 재고 공복 시간 끝날 때까지 혈당 변화를 관찰해 보면 110~90 사이를 항상 유지하고 있습니다. 내 몸이 예전보다 많이 회복되었구나 이제 혈당이 쉽게 올라가거나 내려가지 않는다는 좋은 피드백을 받게 됩니다.

프로그램 끝나고도 규칙적이지는 않지만 한 달에 2~3회 정도는 그 전날 저녁에 과식했다 싶으면 다음 날 저녁 식사까지 단식을 유지하고 있습니다.

6. 유OO (남, 51세)

간헐적 단식을 2주 차부터 주 1회 실시했습니다. 처음 1회는 할 수 있었는데 3주 차 주 2회는 너무 허기지고 단식 당일에 계단오르기 운동이 너무 힘들었습니다.

그런데 단식을 실천한 이후 점심을 먹고 나타나는 식곤증이 사라졌으며 체지방 감소로 근육량은 많이 늘지 않아도 복근이 보이기 시작했습니다. 몸매가 슬림해지면서 옷맵시가 살아나기 시작했고 얼굴에서 턱선이 다시 나타났습니다. 와이프가 저한테 짧은 목인 줄 알았는데 살 빠지고 보니 아니라고 하네요(웃음). 수면 중에 코 고는 일이 줄었고 수면무호흡증도 개선되었습니다.

7. 권OO (남, 41세)

2주 차에 간헐적 단식을 처음 시작할 때는 배고픔을 많이 느꼈고 무기력함도 좀 있었습니다. 1주 차에는 4.5kg 정도가 빠졌는데 2주 차에는 먹은 양을 줄였지만 나머지는 가이드대로 잘 따랐음에도 1~2kg 정도만 빠지고 눈에 보이는 효과가 없자 의욕이 많이 떨어졌습니다. 하지만 박사님께 피드백을 받으면서 허용식품 위주로 충분히 먹어주면서 간헐적 단식에 들어가니 허기를 좀 느끼기는 해도 버틸 만했고 몸이 가벼워지는 느낌이 들었습니다. 다만 확실히 감량 효과를 보려면 먹는 만큼 운동도 병행해야 했습니다. 3주 차 때는 잘 먹고 운동했는데 간헐적 단식을 하면 확실히 감량효과를 보는 것 같습니다.

다만 3주 차 주말부터 4주 차 시작할 때 단식이 이어지고 근력운동도 병행하다 보니 체력적으로 힘들어 4주 차에는 단식 권장 3일 중 2일만 했습니다. 하지만 이때도 단식 후 조금씩 체중 감량 효과를 봤습니다.

8. 김OO (남, 35세)

TV를 통해 간헐적 단식 등 단식 방법을 많이 듣긴 했지만 실제로 프로그램 참여를 통해 처음 시도해 봤습니다. 처음 간헐적 단식을 했을 땐 자기 전까지 저녁 시간이 많이 힘들었지만 자고 일어나면 몸이 개운하고 가벼워지는 기분이었습니다.

박용우 교수님 다이어트의 가장 중요한 점은 체지방만 빠졌다는 겁니다. 물론 당사자가 어느 정도 프로그램을 따라가느냐, 운동을 추가로 하느냐에 따라 다르겠지만 주어진 식단을 잘 따르고 운동만 꾸준히 할 수 있다면 교수님이 말씀하신 것처럼 되더라고요.

요즘도 일주일에 한 번씩은 간헐적 단식을 하고 있고 식사도 프로그램 중 받았던 식단 위주로 건강한 음식 위주로 먹고 있습니다. 물론 운동도 열심히 하고 있습니다.

교수님 다이어트를 통해 가장 많이 바뀐 부분은 교수님이 말씀하셨듯이 살 안 찌는 체질로 몸이 바뀐 것 같습니다. 한 달 정도 먹었던 혈압약도 프로그램 진행 중에 중단하고 현재는 정상 혈압이 되었네요. ^^ 주변에 간헐적 단식을 적극 추천하고 있습니다.

참가자들 중 주어진 미션을 잘 수행한 사람들은 주 1~3회 24시간 간헐적 단식을 했음에도 근육손실 거의 없이 체지방만 빠졌다. 특히 허리둘레의 감소가 두드러졌다. 다이어트 프로그램 4주 후 혈압과 혈액검사 결과를 보면 혈당과 중성지방 모두 감소했고 간기능수치와 LDL콜레스테롤 수치도 드라마틱하게 떨어진 사람들이 많았다. 첫 4주 동안 빠진 체지방이 주로 복부 내장지방과 간에 끼어있던 지방이 빠져나간 것이 생각보다 좋은 결과를 만든 요인이라 생각된다.

지방간이나 고지혈증이란 딱지를 안고 생활해온 직장인들이 불과 4주 만에 딱지를 떼었다는 건 이들에게 큰 선물이다. 이런 결과는 긍정적인 피드백으로 작용해서 다시는 지방간이나 고지혈증이 생기지 않도록 생활습관이 바뀌는 선순환이 생긴다.

박용우, 박용우의 격일완화 단식
프로그램을 시작하다

나는 2019년 9월 11일 추석 연휴 때부터 4주간 격일완화 단식을 시도하겠다는 생각을 했다. 주 2회 24시간 단식은 2018년부터 계속 권했지만 주 3회 24시간 단식은 조금 조심스러웠던 게 사실이다. 그래서 누구보다 내가 먼저 실천해 보고 그 결과에 따라 처방(?) 여부를 결정하겠다고 마음먹었다. 박용우의 격일완화 단식은 『스위치온 다이어트』프로그램의 4주 차 미션이다.

박용우의 격일완화 단식 프로그램

▷ 주 3일 24시간 간헐적 단식을 시행한다.

단식일 사이에는 정상 식사를 하는 날이 반드시 포함되어야 한다. 단, 간헐적 단식 후 근육량이 많이 감소했거나 두통, 무력감 등 불편한 증상이 심하게 나타난 경우에는 주 1회만 시행하거나 시행하지 않는다.

일반식사 (월, 수, 금 혹은 화, 목, 토)

- 아침: 단백질셰이크+블루베리/무첨가 요거트 혹은 과일 한쪽
- 점심: 밥을 포함한 일반 식사
- 오후: 단백질셰이크+견과류 한 줌
- 저녁: 채소와 단백질이 풍부한 식사, 밥은 반 공기 이내 허용

간헐적 단식 (화, 목, 토 혹은 월, 수, 금)

- 아침, 점심, 오후 간식: 물만 마신다
- 저녁: 채소와 단백질이 풍부한 식사 , 밥은 반 공기 이내 허용
  - 단식 일에 영양제는 복용하지 않는다.

    단, 영양제를 복용한다면 저녁식사 전후에 섭취한다.
  - 간헐적 단식을 시행하는 날 두통, 어지럼증, 무력감, 집중력저 하 등 불편한 증상이 심하게 나타난다면 단식을 중단하고 평 소대로 식사를 유지한다.
  - 간헐적 단식을 하는 날 운동하면 효과가 배가된다.

▷ 일요일에는 허용 식품으로 하루 세 끼에서 네 끼까지 편하게 섭 취한다.

▷ 고강도 인터벌운동이나 근력운동을 하기 전 혹은 운동 직후 고 구마나 바나나 1개 섭취가 허용된다.

▷ 무첨가 요거트를 섭취할 때 블루베리를 10개 이내로 넣어 먹어 도 좋다.

▷ 저녁 식사에서는 밥을 반 공기 넘지 않도록 한다.

▷ 과일은 종류와 관계없이 하루 한 개를 넘지 않아야 한다. 가급 적 아침에 단백질셰이크와 함께 섭취하거나 점심 식사 후 디저 트로 먹고 오후 늦게는 먹지 않는 것이 좋다.

▷ 아침 식사는 전날 저녁 식사를 마친 시간으로부터 12~14시간 후에 섭취한다.

▷ 저녁 식사는 취침 3시간 전에 끝낸다.

▷ 잠자리에 들기 1시간 전에는 TV, 스마트폰, 컴퓨터 화면을 보지 않는다.

▷ 하루 20분 정도의 낮잠은 허용된다. 하지만 30분 이상의 낮잠은 숙면을 방해한다.

▷ 다음의 금기식품을 절대 섭취해서는 안 된다.

　- 설탕, 액상과당: 청량음료, 커피믹스, 주스, 과일향 우유, 당분 함량 높은 두유, 당분이 첨가된 요거트

　- 트랜스지방: 케이크, 전자레인지용 팝콘, 각종 스낵, 도넛, 튀김요리 등

　- 술

　- 밀가루 음식: 빵, 케이크, 국수, 라면, 파스타, 자장면 등

　- 동물성 포화지방이 상대적으로 많은 음식: 삼겹살, 대창 등

▷ 규칙적으로 운동을 시행한다.

　주 4회 이상, 한 번에 20분 이상 고강도 인터벌운동을 실천한다. 주 3~4회 근력운동을 병행하면 효과는 더 크다. 헬스클럽에 가기 어렵다면 하루 3회 이상 15층 이상 계단오르기를 매일 실천한다.

▷ 오래 앉아있는 행동을 피하고 가급적 30분마다 일어나서 가볍게 몸을 움직여준다.

▷ 물은 하루 8컵 이상 충분히 마신다.

<식단구성 및 영양보충제 처방>

아침 식사	점심 식사	오후 간식	저녁 식사
단백질셰이크 1컵 (물/무가당 두유)

종합비타민 1~2정 오메가3 1~2캡슐 신바이오틱스 1포 비타민C 0.5~1g (코엔자임Q10 100mg) | 밥 2/3공기 + 채소와 단백질이 풍부한 식단

비타민C 0.5~1g | 단백질셰이크 1컵 (물/무가당 두유) | 밥을 포함한 일반 식사 (채소+양질의 단백질 음식)

종합비타민 1~2정 오메가3 1~2캡슐 신바이오틱스 1포 비타민C 0.5~1g 칼슘/마그네슘 2정 비타민D 1,000~2,000IU |

*코엔자임 Q10은 50세 이상 중년에게 권하는 영양보충제

Dr. Park's ADML (박용우의 격일완화 단식)

	월	화	수	목	금	토	일
아침	단백질 셰이크	×	단백질 셰이크	×	단백질 셰이크	×	허용식품으로 편하게 식사
점심	일반식	×	일반식	×	일반식	×	
간식	단백질 셰이크	×	단백질 셰이크	×	단백질 셰이크	×	
저녁	일반식	일반식	일반식	일반식	일반식	일반식	

- 12시간의 식사시간과 24시간의 공복시간을 번갈아 시행한다.
- 식사하는 날(예, 월수금) 3일간은 하루 네 끼 평상시처럼 식사한다. 일반식은 가급적 밥과 반찬을 먹는 한식을 권장한다(채소와 단백질 반찬 포함).
- 단식하는 날(예, 화목토) 3일간은 저녁 식사에 밥 반 공기 정도의 한식을 섭취한다(채소와 단백질 반찬 포함).
- 일요일에는 하루 세 끼에서 네 끼 편하게 식사한다(단백질셰이크는 선택).

그림 5-1 박용우의 격일완화 단식

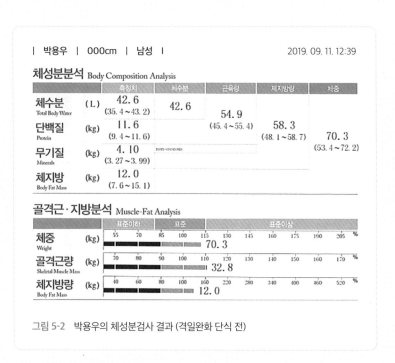

체성분분석 Body Composition Analysis		측정치	체수분	근육량	제지방량	체중
체수분 Total Body Water	(L)	42.6 (35.4~43.2)	42.6	54.9 (45.4~55.4)	58.3 (48.1~58.7)	70.3 (53.4~72.2)
단백질 Protein	(kg)	11.6 (9.4~11.6)				
무기질 Minerals	(kg)	4.10 (3.27~3.99)	non-osseous			
체지방 Body Fat Mass	(kg)	12.0 (7.6~15.1)				

골격근·지방분석 Muscle-Fat Analysis

		표준이하	표준	표준이상	
체중 Weight	(kg)	55 70 85	100 115 130	145 160 175 190 205	% 70.3
골격근량 Skeletal Muscle Mass	(kg)	70 80 90	100 110 120	130 140 150 160 170	% 32.8
체지방량 Body Fat Mass	(kg)	40 60 80	100 160 220	280 340 400 460 520	% 12.0

| 박용우 | 000cm | 남성 | 2019. 09. 11. 12:39

그림 5-2　박용우의 체성분검사 결과 (격일완화 단식 전)

격일완화 단식을 시행한 지 4주 후의 체중은 −5.9kg, 체지방은 −2.8kg, 골격근은 −1.5kg이 빠졌다. 예전 근력운동을 열심히 하면서 스위치온다이어트를 했을 때는 근육은 늘고 체지방이 많이 빠졌으나 정작 체중은 3kg 이상 감량이 어려웠는데 이번 격일완화 단식에서는 체중이 6kg 빠졌다. 이제까지 다이어트를 해오면서 4주 만에 6kg 감량을 한 건 처음 겪는 경험이었다. 안정시대사율이 유지되면서 체중감량의 폭이 컸다는 생각이 들지만 아쉬운 건 근육량 감소였다. 운동을 철저하게 못 한 탓도 있지만 운동선수나 트레이너가 아닌 일반인이 격일단식으로 근육량을 유지하는 건 쉽지 않겠다는 생각을

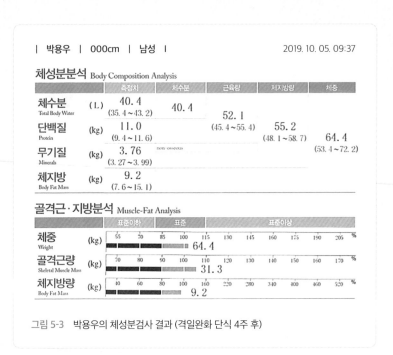

| 박용우 | 000cm | 남성 | | 2019. 10. 05. 09:37 |

체성분분석 Body Composition Analysis

		측정치	체수분	근육량	제지방량	체중
체수분 Total Body Water	(L)	40.4 (35.4~43.2)	40.4			
단백질 Protein	(kg)	11.0 (9.4~11.6)		52.1 (45.4~55.4)	55.2 (48.1~58.7)	64.4 (53.4~72.2)
무기질 Minerals	(kg)	3.76 (3.27~3.99)	non-osseous			
체지방 Body Fat Mass	(kg)	9.2 (7.6~15.1)				

골격근·지방분석 Muscle-Fat Analysis

		표준이하	표준	표준이상
체중 Weight	(kg)	55 70 85 100	115 130	145 160 175 190 205 % 64.4
골격근량 Skeletal Muscle Mass	(kg)	70 80 90 100	110 120	130 140 150 160 170 % 31.3
체지방량 Body Fat Mass	(kg)	10 60 80 100	160 220	280 340 400 460 520 % 9.2

그림 5-3 박용우의 체성분검사 결과 (격일완화 단식 4주 후)

했다. 개인 차이가 있겠지만 나에게는 주1~2회 24시간 단식이 맞는
방법이 아닌가 싶다.

Part 6

간헐적 단식 효과를
높이기 위한
건강 식사법

Hormesis
Intermittent
Fasting

단백질

─────── 닭가슴살, 삶은 달걀흰자 같은 단백질 음식은 이미 다이어트 음식의 대명사로 자리매김했다. 그만큼 단백질 섭취는 체중 감량에서 중요한 요소다. 그런데 장수 다이어트에서는 단백질 섭취를 줄여야 한다고 강조한다. 채식주의자들도 동물성단백질은 건강에 유해하다고 한다. 하지만 백세시대를 살아야 하는 요즘 양질의 단백질 섭취는 노후에 생길 수 있는 근육감소증 예방을 위해 필수적이다. 그렇다면 단백질, 어떻게 얼마나 먹어야 할까.

단백질의 특징

단백질은 탄수화물, 지방과 마찬가지로 우리 몸을 움직이게 만드는 에너지공급원인 동시에 우리 몸을 구성하는 건축재료이기도 하다. 뼈, 근육, 피부, 적혈구, 면역세포 등은 단백질로 구성되어 있고, 인슐린, 렙틴 같은 호르몬, 아밀라아제, 리파제 등의 효소, 도파민이나 세로토닌 같은 신경전달물질도 단백질로 만든다.

우리 몸이라는 화학 공장을 운영하기 위해 기계를 돌리려면 연료가 필요하다. 매일 규칙적으로 외부에서 음식의 형태로 우리 몸에 연료를 공급해주지만 간혹 외부에서 연료를 공급받지 못하는 상황이 벌어지면 건축재료 일부를 태워 원료로 쓰기도 한다. 물론 경제적이지 않은 일이지만 그만큼 어렵게 만들어놓은 건축재료를 연료로 사용한다는 건 위기상황에서나 가능한 이야기다.

탄수화물과 지방의 경우 섭취해서 연료로 사용하고 남은 것은 창고에 보관할 수 있다. 지방창고는 그 크기가 무궁무진하고 탄수화물도 간과 근육에 창고가 있어 어느 정도 비축이 가능하다. 따라서 탄수화물과 지방은 섭취량이 따로 정해져있진 않다. 하지만 단백질의 경우는 조금 다르다. 단백질은 필요량이 충족되면 뇌에 포만감 신호를 보내 우리가 먹는 걸 중단하게 만든다. 건축재료가 충분히 마련되었는데 불필요하게 재료를 더 쌓아둘 필요가 있을까. 남아도는 단백질은 탄수화물이나 지방처럼 효율적으로 저장할 수 있는 창고도 마땅찮다.

실제로 동물의 세계에서는 단백질 섭취가 엄격하게 조절된다. 동물들이 일부러 단백질을 찾아다니는 건 아니지만 몸에서 필요로 하는 양의 단백질을 섭취하면 포만감 신호를 보내 더는 음식을 먹지 않게 한다.

호주 국립대학 펠튼 교수팀이 볼리비아의 야생원숭이 15마리를 9
개월 동안 동영상 촬영으로 추적관찰하면서 이들의 섭식행동을 하루
종일 면밀하게 관찰하고 먹은 음식들을 분석했다. 그 결과 계절과 먹
을 수 있는 음식 종류에 따라 탄수화물과 지방 섭취량은 그때그때 달
랐지만 단백질 섭취량은 매일 일정한 수준을 유지했다. 단백질이 풍
부한 새순을 먹을 수 있는 계절에는 다른 음식을 많이 먹지 않았지
만. 단백질 함량이 낮은 과일로 배를 채워야 할 때는 필요량을 채울
때까지 많이 먹었다. 다시 말해 동물들은 본능적으로 내 몸에 필요한
단백질을 얻을 때까지만 먹는다는 것이다.[53]

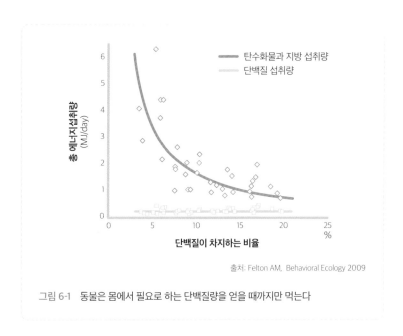

출처: Felton AM, Behavioral Ecology 2009

그림 6-1   동물은 몸에서 필요로 하는 단백질량을 얻을 때까지만 먹는다

단백질 식품인 콩에는 탄수화물이 많고 육류에는 포화지방이 많다. 달걀흰자나 닭가슴살이 다이어트식이나 몸짱 식사의 대명사가 된 이유는 상대적으로 단백질 함량이 많기 때문이다. 탄수화물은 과식하기 쉽지만 단백질은 그렇지 않다. 우리가 과식, 폭식하는 음식을 생각해 보면 케이크, 피자, 라면, 초콜릿, 아이스크림 등 상대적으로 탄수화물과 지방이 많은 음식이다. 달걀흰자를 과식하기 쉽지 않은 것처럼 말이다. 체중을 유지하는 사람들과 살이 찌는 사람들의 식사 일기를 비교해 보면 단백질 섭취량은 비슷한데 살이 찌는 사람들에게서는 탄수화물과 지방 섭취량이 더 많았다.[54]

단백질, 진화냐 장수냐

동물들은 본능적으로 자신에게 충분한 양의 단백질을 확보해 빠른 성장과 번식을 도모한다. 쥐가 이런 식생활로 인해 심장병이나 암으로 고통받는다고 해도 자연에는 별로 중요한 문제가 아니다. 중요한 건 유전자를 복제하는 일이기 때문이다. 단순화하자면 단백질을 많이 먹는 사람은 건강과 장수를 대가로 유전자 번식이라는 종족본능에 충실한 사람이다.

그렇다면 원시인처럼 먹자는 팔레오(구석기)다이어트는 어떨까? 원시 조상들이 먹었던 식단이 장수에 도움이 되는 영양 패턴일까? 그당시 장수는 진화의 주된 타깃이 아니었다. 진화에서 중요한 건 유전자를 전달하는 일로 고기를 많이 먹으면 근육이 탄탄해지고 번식력도 좋아지지만 번식력이 없어진 이후에는 병이 들든 일찍 죽든 진화는 개의치 않는다. 학자들은 오래오래 건강하게 살고 싶어 하는 현대인들에게 단백질 공급원인 육류를 너무 자주, 많이 섭취하면 일찍 죽는다고 말해왔다. 동물성단백질을 많이 먹으면 심혈관질환과 암 발생 위험이 증가하고 수명이 짧아진다. 그렇다면 건강하고 오래 살기 위해서는 어떻게 단백질을 섭취해야 할까.

체중감량 다이어트에서는 단백질이 아주 중요한 부분이다. 단백질은 포만감을 빨리 가져오는 건 물론 근육단백의 손실을 막아주기 때문에 건강한 노년의 생활을 위해서도 중요하다. 그런데 동물성지방이 많은 단백질을 과도하게 섭취하면 오히려 노화를 촉진하는 것으로 알려져있다. 노화를 연구하는 학자 발터롱고 Valter Longer는 단백질이 과도한 식단, 특히 동물성단백질이 많은 식단은 건강에 해롭다고 주장하며 50~65세의 중년 나이에 동물성단백질을 많이 섭취하면 사망위험도가 증가한다고 말한다.

단백질 섭취는 mTOR를 활성화하고 자가포식을 억제한다. 청소년기인 성장기 때는 조직이 꾸준히 성장하는 게 바람직하다. 하지만 성인이 되어서도 mTOR를 계속 자극하면 단백질 구조물이 쌓이면서 다른 세포를 파괴하고 오히려 노화를 촉진한다. mTOR가 과도하게 활성화되어 세포의 성장자극을 지속해서 주는 게 위험한 또 하나의 이유는 그것이 암세포 성장에 이로운 환경을 만들 수 있기 때문이다. 그렇다면 노화를 늦추고 암 발생 위험을 낮추려면 단백질을 적게 먹어 mTOR 자극을 줄여야 할까.

하지만 사실은 그렇지 않다. mTOR는 생명유지에 필요하다. mTOR 활동이 너무 적으면 근육세포의 위축이 오는데 나이가 들면 근육감소증이 올 위험이 더 커진다. 지속적인 자극은 위험하니 가끔 숨돌릴 시간을 주어야 한다. 쌓인 건축폐기물(노폐물)을 치우는 과정이 자가포식이라고 말했다. 즉, 간헐적 단식으로 mTOR를 억제하고 자가포식하는 기회를 주어야 한다.

mTOR가 항노화에는 방해가 되지만 근육을 만들고 유지하는 데에는 꼭 필요하다고도 말했었다. 특히 65세 이후부터는 인슐린과 IGF-1의 활동이 떨어지고 근육세포의 mTOR 활동도 약해지며 근육세포의 노화가 가속화된다. 발터롱고의 연구에서도 동물성단백질 섭취를 많이 할 경우 65세 미만에서는 암 발병 위험이 증가했지만, 65세 이상에서는 암 발병 위험이 오히려 감소했고 단백질의 해로운 효과도 관찰되지 않았으며, 단백질이 풍부한 식사를 하는 그룹에서 사망률이 더 낮았다. 나이가 들면 근육량이 줄고 면역력도 떨어지는데 단백질 섭취가 충분하니 근육량이 유지되고 면역력이 떨어지지 않은 결과다.[55]

반면 젊은 사람들은 단백질 섭취량보다 어떤 단백질을 섭취하는가가 더 중요할 수 있다. 동물성단백질을 줄이고 식물성단백질을 늘리면 젊은 사람이건 나이 많은 사람이건 상관없이 단백질의 부정적인 결과들이 모두 상쇄된다.[56] 발터롱고의 앞선 연구결과에서도 식물성단백질로만 국한해서 분석하면 단백질이 미치는 해로운 효과는 연령과 관계없이 상쇄되었다. 최근 연구에서는 식물성단백질을 충분히 섭취하면 사망위험이 오히려 낮아졌다.

식물성단백질의 가장 좋은 급원은 콩이다. 두부는 탄수화물 함량이 적은 아주 양질의 단백질 음식으로 소화 흡수도 잘된다. 그밖에 버섯, 퀴노아, 치아시드, 아마씨, 견과류 등도 상대적으로 단백질 함량이 많고 채소 중에는 브로콜리, 아스파라거스, 시금치 등에 단백질 함량이 비교적 많다.

요약하면 65세 이전까지는 소고기나 돼지고기 같은 육류섭취를 지나치게 많이 섭취하지 말고 생선, 해산물, 두부, 콩, 버섯 등 포화지방 함량이 적은 양질의 단백질을 충분히 섭취하는 것이 건강에 좋지만 65세 이후부터는 육류 섭취를 적극적으로 늘리면서 단백질 섭취량이 부족해지지 않도록 신경 써야 한다.

단백질을 많이 먹으면 건강에 해롭다?

과다한 단백질 섭취는 신장을 망가뜨리고 칼슘 배출을 촉진해 골다공증 위험이 커지는 것 아니냐는 질문을 지금도 가끔 받는다. 물론 단백질 섭취량이 많아지면 대사과정에서 생기는 질소화합물을 무해하게 바꾼 요산과 요소를 배출하기 위해 신장이 더 무리해서 일해야 하는 건 맞다. 하지만 만성신장 질환으로 단백뇨가 나오는 환자의 경우라면 단백질 섭취량을 조절해야 하지만 신장기능이 정상인 사람들은 전혀 문제가 되지 않는다. 오히려 나이가 많을수록 단백질 섭취에 더 신경을 써야 한다.

동물성단백질을 많이 섭취하면 인슐린저항성이 악화하고 심혈관질환 발병 위험이 증가한다는 연구결과도 사실 단백질 때문이라기보다는 육류에 포함된 포화지방 때문일 가능성이 더 크다. 미국과 유럽에서 유행한 고단백 다이어트는 대부분 육류 섭취량을 더 늘리는 쪽이어서 포화지방 섭취량도 함께 늘어난다.

우리 몸은 본능적으로 필요로 하는 단백질 요구량을 얻을 때까지 먹는다고 했다. 퍽퍽한 살코기와 삼겹살을 먹는 걸 생각해 보자. 분명 기름기 없는 살코기보단 삼겹살을 더 많이 먹게 될 것이다. 하지만 섭취한 단백질량은 그다지 큰 차이가 없을 가능성이 크다. 단백질과 함께 들어온 지방이 칼로리를 더 높이는 데 기여하였기 때문이다. 실제로 단백질 음식은 과식이나 폭식하기 힘들고, 달콤한 탄수화물이나 입에서 사르르 녹는 지방을 함께 먹어야 많이 먹을 수 있다. 불고기를 배터지게 먹을 수 있는 건 단 양념이 들어있어서다.

똑같은 칼로리를 먹어도 오히려 단백질을 잘 챙겨 먹으면 지방간도 개선된다. 당뇨병 환자들을 대상으로 칼로리를 동일하게 만든 탄수화물 50%, 단백질 17% 비율의 일반식과 탄수화물 30%, 단백질 30%의 단백식을 섭취하게 했을 때 탄수화물을 줄이고 단백질을 충분히 섭취한 고단백식에서 간에 끼어있는 지방, 췌장에 끼어있는 지방이 의미 있게 줄어들었다.[57] 그렇다면 단백질 음식을 과식하면 어떻게 될까?

우리 몸 소화기관이 가장 힘들어하는 게 단백질의 소화, 흡수다.

입안에서부터 잘게 씹어서 삼켜야 하고 위산 분비도 충분해야 한다. 펩신, 트립신 등 소화효소도 잘 나와주어야 한다. 그럼에도 섭취량이 과다하면 소화 흡수되지 못한 음식 찌꺼기들은 그대로 대장으로 내려가 장내 세균의 먹이가 된다. 장내 세균에는 유익균과 유해균이 있는데 유익균은 식이섬유나 올리고당 같이 소화되지 않은 탄수화물을 '발효'시키지만 유해균은 단백질이나 지방을 '부패'시킨다. 고기를 많이 먹으면 방귀 냄새가 지독해지는 이유다. 그렇다면 단백질은 얼마나 먹어야 할까?

일반적인 단백질 섭취 권장량은 몸무게(kg)당 0.8g이다. 나이가 들수록 단백질을 더 챙겨 먹어야 하는데 치아가 약해 단백질 음식을 많이 먹지 못하고 소화 흡수기능도 떨어지기 때문이다. 차라리 잘 먹는 날에는 몸무게당 1~1.2g 정도 충분히 먹고 간헐적 단식하는 날에 확실하게 굶어주는 것이 더 낫다. 예를 들어 내 몸무게가 60kg이라면 단백질은 하루에 60~70g 정도 먹어야 한다. 그런데 단백질을 한 번에 소화 흡수시킬 수 있는 양은 25~35g 정도밖에 안 되며 나이가 들면 25g보다 그 양이 더 떨어지게 된다. 따라서 하루 세 끼를 먹는다면 매 끼니 20~25g 정도 먹겠다고 작정해야 필요량을 채울 수 있다.

필요한 단백질 섭취량을 가장 편하게 측정할 방법은 매 끼니 자신의 손바닥 크기만큼 단백질을 섭취하는 것이다. 쉽게 말해 단백질은 내 손바닥 크기만큼, 탄수화물은 주먹 크기만큼, 채소는 양손 가득 담아 먹어야 한다는 말이다.

스테이크 100g
135Cal

연어 130g
282Cal

흰살 생선 140g
105Cal

닭가슴살 105g
111Cal

유청단백 30g
117Cal

달걀
240Cal

저지방치즈 240g
163Cal

무첨가 요거트
450g 356Cal

렌틸콩 100g
297Cal

퀴노아 185g
572Cal

두부 310g
236Cal

강낭콩 115g
306Cal

그림 6-2   단백질 20~25g이 들어있는 음식의 양

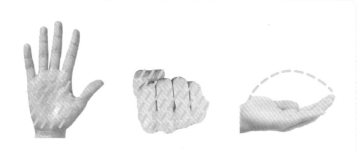

그림 6-3   단백질은 손바닥 크기만큼, 탄수화물은 주먹 크기만큼, 채소는 양손 가득 먹는다

단백질과
박용우 다이어트

신인류 다이어트, 해독 다이어트, 스위치온 다이어트로 이어온 박용우 다이어트는 꾸준히 단백질을 강조해왔다. 일부에서는 박용우 다이어트를 그저 고단백 다이어트일 뿐이라고 폄하하기도 하지만 박용우 다이어트는 단백질이 부족하지 않도록 잘 챙겨 먹고 여기에 좋은 탄수화물과 지방을 함께 섭취해서 더 건강해지자는 건강 다이어트다. 박용우 다이어트에서 초기에 탄수화물 섭취를 제한하고 간헐적 단식이 들어가는 건 빠르게 건강한 몸으로 회복시키려는 전략일 뿐이다. 특히 다이어트 중 발생하는 근육단백의 손실을 막기 위해 단백질 섭취를 강조하는 것이다.

오래 살기 위해서, 혹은 체중을 줄이기 위해 소식을 실천하려 한다면 무엇보다 내 몸에서 필요로 하는 단백질 요구량을 먼저 채워야 한다. 양질의 단백질을 먹으면 좋은 탄수화물과 좋은 지방은 덤으로 들어온다. 생선, 해산물, 닭고기, 달걀, 요거트, 버섯, 콩, 씨앗류, 견과류 등이 대표적인 양질의 단백질 음식이다. 평소 단백질 섭취가 부족하지 않도록 잘 챙겨 먹다 간헐적 단식을 하는 날 한 끼 식사를 양질의 단백질로 충분히 섭취한다면 단백질은 부족하지 않으면서도 탄수화물과 지방섭취를 줄이는 효과를 얻을 수 있다.

잘 챙겨 먹는 날에는 mTOR를 자극해서 근육 손실을 막고, 단식하는 날에는 확실하게 굶어서 mTOR를 억제하고 자가포식을 활성화해 노화를 늦추는 전략이 건강하게 소식을 실천하는 항노화 식사법이다.

체크! ────────────────────────

운동과 단백질 섭취

근육단백을 유지하기 위해서는 운동이 필요하지만 그 전에 반드시 단백질 섭취가 충분해야 한다. 일반적으로 운동량이 많을수록 단백질 요구량도 증가한다. 근력 운동을 한다면 근육합성과 mTOR 활성화에 필요한 충분한 단백질을 섭취해야 한다. 나이를 먹을수록 생리적으로 근육손실이 생기므로 근육량을 유지하기 위해선 활동량도 유지해야 하지만 단백질 섭취량도 유지해야 한다. 만약 단백질 섭취량이 체내 요구량보다 많으면 일부 흡수된 아미노산은 근육세포 내에 임시 저장되어 아미노산 항상성을 유지하거나 에너지원으로 쓰인다.

근력운동 후 근육단백 합성에 필요한 단백질은 20~30g이면 충분하다. 근육단백 생성을 촉진하는 조절인자는 루신인데 단백질 20~30g에는 루신 2~3g이 들어있어 단백질 합성 자극으로 충분하다.

체크!

단백질 흡수를 높이는 방법이 있나요?

1. 밥을 먹기 전 운동으로 체내 비축된 글리코겐을 고갈시키면 근육은 섭취한 음식에서 탄수화물을 더 잘 흡수하려 한다. 비어있는 글리코겐 창고를 채워야 하기 때문이다.

2. 밥을 먹기 전에 레몬, 올리브, 생강, 식초 등의 산성음식을 먹으면 장내에서 단백질 흡수를 도와준다.

3. 스트레스를 받으면 혈액은 소화기 쪽보다 심장과 사지 골격근 쪽으로 몰린다. 이는 소화불량과 변비를 유발하는 요인이 된다. 그런 이유로 스트레스를 받을 때는 가급적 식사하지 않는 것이 좋다. 식사를 할 때는 편안한 마음으로 부교감신경을 활성화해야 한다. 의식적으로 씹는 횟수를 늘려 위장관에서의 흡수를 쉽게 만들어야 한다. 식사할 때는 먹는 일에 집중하고 동시에 다른 일을 하면서 먹지 않아야 한다. 걸으면서 먹는 것도 좋지 않다.

4. 단백질 섭취량이 많아질수록 식이섬유 섭취량도 늘려야 한다. 장내 유익균과 유해균의 밸런스를 유지해야 하기 때문이다. 장내 건강한 환경을 유지하기 위해 프리바이오틱스와 프로바이오틱스를 챙겨 먹는 것도 도움이 된다.

5. 단백질을 섭취할 때는 탄수화물 섭취량을 줄이는 것이 단백질 소화에 유리하다. 단 채소는 많이 섭취해도 괜찮다.

6. 식사 후 산책 등 가볍게 걷는 신체활동은 혈당을 조절하고 소화를 돕는 데 도움을 준다.

2장

탄수화물

———— 바야흐로 탄수화물 수난 시대다. 사람들은 살을 빼려면 탄수화물을 줄여야 한다고 말한다. 그러다 보니 살찔까 봐 밥양을 줄인다는 사람들도 늘고 있다. 과거와 비교해 육체노동이 줄고 앉아있는 시간이 더 많아진 현대인들은 탄수화물을 지금보다 더 줄여야 한다. 그런데 정작 설탕, 흰 밀가루 음식같이 혈당을 빠르게 높이는 가공식품이 줄어드는 게 아니라 오히려 쌀소비량이 줄고 있다. 쌀밥은 채소와 단백질 반찬을 함께 가져오는 좋은 탄수화물임에도 소비량이 줄고 있지만, 설탕과 밀가루 소비량은 해마다 늘고 있는 현실을 어떻게 받아들여야 할까. 탄수화물의 명확한 이해가 필요한 때다.

탄수화물은 비만의 적?

과거 우리 선조들은 밥심으로 살았다. 지금 우리가 먹는 밥그릇의 약 세 배쯤 큰 밥공기에 밥을 고봉으로 담아서 먹었다. 탄수화물 섭취량은 총 섭취에너지의 70~85%를 차지했다. 이렇게 먹어야 했던 이유는 그만큼 신체활동량이 많기 때문으로 먼 길을 걸어 다녀야 했고 농사를 지었으며 텃밭을 가꿨다. 앉아서 쉴 틈 없이 하루 종일 일을 해야 했다. 세계적인 장수촌인 일본 오키나와 주민들 역시 탄수화물 섭취비율이 65%를 넘는다. 나이 든 오키나와 사람들은 심혈관질환, 당뇨, 치매, 암에 걸리는 비율도 낮았으며, 소식을 실천했다. 따라서 건강하고 장수하는 이유는 탄수화물보다는 소식이 더 큰 요인일 수 있다.

볼리비아의 아마존 열대우림에서 사냥과 수렵 생활을 하는 치마네Tsimane족은 관상동맥질환에 걸리지 않는다. 치마네족은 주로 채식을 하고 탄수화물이 72%, 지방 14%, 단백질 14%로 탄수화물 위주로 먹는다. 이들은 사냥하고 온종일 일어서서 활동한다. 앉아서 보내는 시간은 하루에 30분도 되지 않는다. 그들이 건강한 이유는 탄수화물을 많이 먹어서라기보다는 식물성 식단으로 구성된 자연적인 식생활을 하고 끊임없이 움직이는 생활습관이 큰 영향을 미쳤을 것이다.

요즘은 탄수화물 수난시대다. 비만이 늘어나면서 살찌는 주범의 표적이 과거 '지방'에서 '탄수화물'로 옮겨왔다. 몇 년 전 방송을 통해 소개된 '저탄고지 다이어트'는 이러한 흐름에 불을 붙였다. 과연 탄수화물은 비만을 일으키는 주범이고 무조건 줄여야 하는 영양소일까?

우리 조상들은 밥을 주식으로 먹었고 감자, 과일 등 탄수화물 위주의 식사를 했음에도 비만과 당뇨가 거의 없었다. 체내에서 포도당으로 분해되어 혈당을 높이는 탄수화물은 급성 에너지원으로 들어오는 대로 바로바로 써야 한다. 하지만 현대인들의 신체활동량은 과거와 비교해 크게 줄었다. 쌀밥이나 감자, 고구마 입장에선 억울하기 그지없을 것이다. 효율 좋은 에너지를 내는 건강식임에도 의자에 궁둥이를 꼭 붙이고 주야장천 앉아만 있는 현대인들의 활동량 부족 때문에 탄수화물이 뱃살의 주범으로 몰리고 있으니 말이다. 결국 탄수화물은 자신의 신체활동량에 맞추어 먹으면 된다. 계절과일을 즐긴다면 먹고 나서 더 많이 움직이면 된다.

그렇다면 건강을 챙기고 오래 살기 위해서는 하루에 탄수화물을 얼마나 먹는 것이 적절할까. 이것이야말로 개인차가 심하다는 대답을 할 수밖에 없다. 내 몸이 당을 처리하는 능력이 얼마나 빠릿빠릿한가, 근육량이 많은가, 근육이 포도당을 효율적으로 잘 이용하고 있는가, 평소 신체활동량이 어떤가, 규칙적으로 운동을 하고 있는가 등에 따라서 다를 수밖에 없기 때문이다. 나이가 많을수록, 근육량이 부족할수록, 인슐린저항성이 심할수록, 평소 신체활동량이 적고 앉아있는 시간이 많을수록 탄수화물 섭취량을 줄여야 한다. 다음의 연속혈당측정기 실험에서도 말하겠지만 같은 양의 밥을 먹어도 먹고 나서 움직였는가 아닌가에 따라 결과가 달랐다. 밥을 먼저 먹고 반찬을 먹었는가, 채소와 단백질 반찬으로 배를 먼저 채운 후 밥을 먹었는가에

따라서도 달라진다.[58]

옛날 우리 선조들처럼 먼 길을 자동차 없이 걸어 다니고 평소 농사를 짓거나 육체노동을 하는 게 아니라면 하루 세 끼 밥 한 공기를 꼬박꼬박 먹어선 안 된다는 게 내 생각이다. 의자 중독에 빠져있는 21세기 현대인들은 매 끼니 밥을 반 공기 정도만 먹어야 한다. 대신 채소와 단백질 반찬을 더 많이 먹어 배를 채우는 것이 좋다. 만약 밥 한 공기를 다 먹었다면 적어도 20분 이상 걷기를 실천해야 한다. 과일을 좋아해 후식으로 과일을 먹었다면 평소보다 더 많이 걷고 움직이면 된다. 그럴 자신이 없다면 과일도 줄여야 한다.

설탕과 흰 밀가루 음식은 어떨까. 빵이나 면을 주식으로 먹으면 식후 혈당이 생각보다 높게 올라갈 수 있다. 가급적 밥을 주식으로 하고 빵이나 면 종류는 어쩌다 먹는 기호식품이 되어야 한다.

연속혈당측정기로 탄수화물을 읽다

2019년 1월, 탄수화물 관련해 재미있는 실험을 해 봤다. 연속혈당측정기를 내 몸에 부착하고 일주일을 지내본 것이다. 연속혈당측정기는 피하조직에 센서를 심으면 5분마다 내 혈당수치를 알려주는 장치다. 제1형 당뇨병인 소아당뇨는 몸에서 인슐린 호르몬이 분비되지 않아 인슐린주사를 맞아야 하는데 스스로 혈당을 조절하기 어려운 아이들에게 이 장치를 부착해 보호자는 휴대폰을 통해 실시간으로 나타나는 혈당치를 확인하면서 인슐린주사 용량을 조절한다. 나는 공복혈당, 당화혈색소 모두 지극히 정상이고 뱃살도 나오지 않은 건강한 몸이다. 건강한 내 몸이 음식에 따라 혈당이 어떻게 움직이는지 확인해 보고 싶었다.

복부 피하조직에 센서를 심었기 때문에 혈당이 아닌 조직액의 포도당 농도를 반영하니 실제 혈당치와는 차이가 날 수 있다. 하지만 매일 혈당측정기로 장치를 보정하면서 오차를 최소한으로 줄였다. 장치를 부착한 첫날에는 지인들과 점심 식사 약속이 있어 식당에서 백반정식을 주문했다. 평소 점심 식사로 밥을 반 공기에서 3분의 2 정도만 먹는데 실험을 위해 일부러 밥 한 공기를 다 먹어보았다.

식사를 시작한 지 20분 뒤부터 혈당이 움직이기 시작했다. 서서히 올라가던 혈당은 식사 시작 1시간째에 최고치인 168mg/dL까지 올라가 깜짝 놀랐다. 일반적으로 혈당은 70~140mg/dL 사이에서 안정적으로 움직여야 하며, 공복상태에서는 100 미만이어야 하고, 식사를 해도 140 이상 올라가면 안 된다. 혈당이 140 이상 올라가면 당화반응이 일어나고 최종당화산물이 생기면서 활성산소, 만성염증, 혈관노화를 유발하기 때문이다. 나는 지극히 건강하다고 생각했는데 식후 1시간째 혈당이 168까지 올라간 것이다. 물론 이후 혈당은 빠르게 떨어져 정상수준으로 돌아왔지만 이 결과로 충격을 받았다. 나이 들면서 인슐린이 예전만큼 빠릿빠릿해지지 못한 걸까.

다음 날은 평소 즐겨 먹던 잡곡밥에 훈제오리고기 메뉴를 선택했다. 흰쌀밥보다는 혈당이 서서히 오를 것으로 생각했지만 잡곡밥도

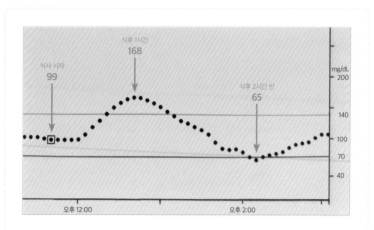

그림 6-4 백반정식으로 밥 한 공기를 먹었는데 식사 시작한 지 1시간 후 혈당이 168mg/dL로 정점을 찍었다. 노란 선이 140mg/dL, 빨간 선이 70mg/dL

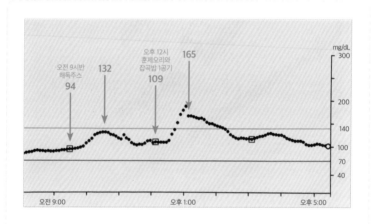

그림 6-5 잡곡밥 한 공기를 먹었는데 식사 시작한 지 1시간 후 혈당이 165mg/dL까지 올라갔다

한 공기를 다 먹으니 흰쌀밥과 비교해 혈당이 올라가는 속도나 크기에 별 차이가 없었다.

다음 날은 휴일이라 집에서 일부러 점심 식사로 흰쌀밥을 한 공기 다 먹고 집 앞 언덕길을 빠른 걸음으로 걸었다. 어떤 결과가 나왔을까. 식후 혈당 130 미만을 유지했다

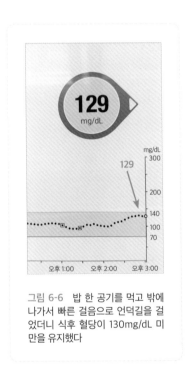

그림 6-6 밥 한 공기를 먹고 밖에 나가서 빠른 걸음으로 언덕길을 걸었더니 식후 혈당이 130mg/dL 미만을 유지했다

혈당은 흰쌀밥이냐 현미잡곡밥이냐도 중요할 수 있고, 밥을 한 공기 먹느냐 반 공기 먹느냐도 중요할 수 있지만 무엇보다 중요한 건 탄수화물을 섭취한 후 근육을 사용해 몸을 움직였느냐가 혈당 조절

에 더 크게 기여한다는 걸 실험으로 확인했다.

이번에는 집에서 저녁 식사로 흰쌀밥을 한 공기 먹어보았다. 평소 저녁 식사에서는 밥을 아예 안 먹거나 반 공기 정도만 먹는 편이다. 일부러 실험을 위해 밥 한 공기를 먹고 소파에 앉아 티브이를 시청했다. 야금야금 올라가던 혈당이 140을 가볍게(?) 넘어서더니 1시간 뒤에는 177까지 올라갔다. 더 충격적인 사실은 사진에서 보이는 것처럼 화살표가 12시 방향으로 급하게 올라가 있었다. 5분 후에는 현재 혈당수치보다 더 많이 올라갈 것이라는 걸 알려주는 표시다. 지금도 높은데 이보다 더 올라간다고? 설마, 200을 넘기면 당뇨병인데? 충

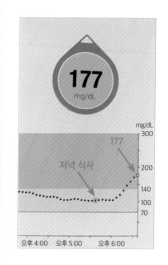

그림 6-7 저녁 식사로 흰쌀밥 한 공기를 먹으니 식후 1시간 뒤 혈당이 177mg/dL까지 올라갔다

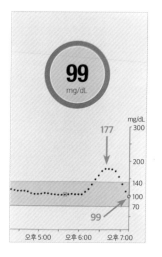

그림 6-8 177mg/dL까지 올라갔던 혈당은 운동을 시작하자 바로 떨어졌다

격을 받고 혈당을 떨어뜨리기 위해 바로 밖으로 나가 뛰었다.

한없이 올라갈 것 같던 혈당이 밖에 나가 뛰자 바로 반응을 보이며 떨어지기 시작했다. 10분 정도 달리고 20분을 걸었더니 혈당이 드디어 100 아래로 내려갔다.

다시 집에 들어와 거실에 앉아 티브이를 보았다. 신체활동이 없어지자 혈당은 다시 올라가기 시작했다. 140 언저리에서 계속 유지하던 혈당은 4시간이 지나야 식사 전 상태로 떨어졌다. 점심 식사 때와 비슷하게 저녁 식사에서 흰쌀밥 한 공기를 먹었는데 왜 저녁 식사 이후에는 혈당이 더 높게 올라가고 쉽게 떨어지지 않을까.

인슐린 호르몬은 낮보다 밤에 작동능력이 떨어진다. 써카디안 리듬에 따라 낮의 활동기에는 활발하게 작동하지만 밤의 휴식기에는

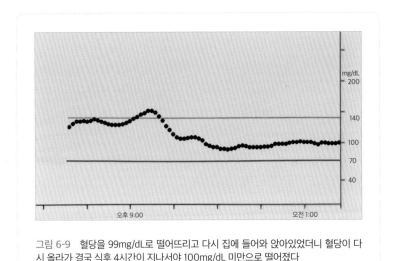

그림 6-9　혈당을 99mg/dL로 떨어뜨리고 다시 집에 들어와 앉아있었더니 혈당이 다시 올라가 결국 식후 4시간이 지나서야 100mg/dL 미만으로 떨어졌다

빠릿빠릿함이 떨어진다. 물론 저녁 식사 이후 활동량이 거의 없다는 것도 한몫하지만 혈당이 밤에 더 높게 올라가고 쉽게 떨어지지 않는 이유는 인슐린의 작동능력이 낮보다 떨어졌기 때문이라고 보는 것이 더 타당하다.

다음 날 저녁 식사 때는 평소처럼 나물반찬과 단백질 반찬으로 배를 먼저 살짝 채운 후 흰쌀밥을 반 공기만 먹었다. 그리고 역시 움직임 없이 거실에 앉아 티브이를 봤다.

혈당은 140 이상 오르지 않았다. 물론 밖에 나가 운동하는 신체활동이 없다 보니 올라간 혈당이 곧바로 떨어지지 않고 4시간 후에나 떨어졌지만 정점은 140 이상 넘어가지 않았다.

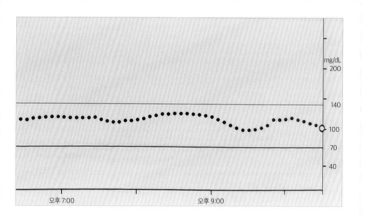

그림 6-10 흰쌀밥을 반 공기만 먹었더니 혈당이 140mg/dL 아래에서 잘 유지되었다

이 실험 후 나는 식사 후 최소한 20분 이상 걷기와 저녁 식사에서 밥 반 공기로 줄이기를 꼬박꼬박 실천하고 있다.

이번엔 독자들에게 퀴즈를 한번 내보겠다. 그림 6-11을 보면 나는 점심 식사로 무엇을 먹었을까?

이날 점심 식사를 시작한 지 20분 뒤부터 움직이기 시작한 혈당은 가파른 곡선을 그리면서 191까지 빠르게 올라가 정점을 찍었다. 숫자가 너무 빠르게 올라가는 데다 숫자도 충격적이어서 기계가 고장 났을까 싶어 직접 혈당측정기로 혈당을 측정했는데 고장이 아니었다. 그 수치가 바로 나의 식후 혈당치였다. 이 놀라운 수치를 안겨준 점심 식사의 주인공은 우리가 흔히 먹는 짬뽕 한 그릇이었다. 이날 흰 밀가루 음식의 위력을 제대로 맛봤다.

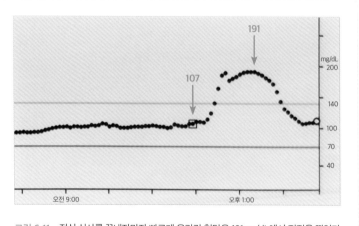

그림 6-11 점심 식사를 끝내자마자 빠르게 올라간 혈당은 191mg/dL에서 정점을 찍었다

그렇다면 흰쌀밥을 먹을 때보다 짬뽕이 더 가파른 곡선을 그리면서 빠르게 올라간 이유는 무엇일까. 정제한 흰 밀가루는 갈아 빻아 만들기 때문에 체내에서의 흡수가 쌀밥보다 더 빠르다. 밥은 나물반찬이나 단백질 반찬과 함께 먹다 보니 탄수화물의 흡수가 늦어지지만 빵이나 면 같은 밀가루 음식은 탄수화물만 먹다 보니 소화 흡수가 더 빠를 수밖에 없다. 특히 면 종류 같은 국물음식은 먹는 속도도 빨라 이런 요인들이 모여 혈당을 급격히 높인 것이다. 더 충격적이었던 사실은 점심 식사를 끝내고 지방에서 서울로 올라와야 하는 일정이라 1시간 동안 운전하느라 큰 움직임 없이 가만히 앉아있었더니 올라간 혈당이 떨어질 기미를 보이지 않았다. 혈당은 차에서 내려 걷기 시작하니 비로소 빠르게 떨어지기 시작했다.

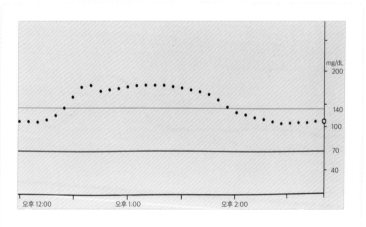

그림 6-12 가파르게 올라갔던 혈당은 운전하는 1시간 동안 떨어지지 않다가 차에서 내려 걸으니 그제야 떨어졌다

독자들은 점심 식사로 면 종류나 빵을 먹고 나서 바깥에 나가 걷는가? 보통은 식사하고 바로 사무실로 들어와 다시 의자에 앉아 계속 업무를 보게 되는데 이때 가파르게 올라간 혈당은 쉽게 떨어지지 않고 높은 수준을 유지한다. 혈당이 높은 상태로 계속 유지되면 몸에서는 당화반응이 일어난다. 단백질이 당분과 엉겨 붙어 최종당화산물이 만들어지고 혈관에 손상이 일어나는 것이다. 만성염증과 활성산소 생성도 더 악화되어 혈관노화가 빠르게 진행된다. 인슐린저항성도 더 악화한다.

건강검진을 받을 때 우리는 12시간 이상 공복상태에서 혈당을 측정하고 공복혈당이 126mg/dL 이상일 때 당뇨로 판정받는다. 그렇다면 공복혈당이 126 이상인 시점부터 당뇨병이 시작된 것일까. 그렇지 않다. 지금 배가 나왔고 하루 종일 꼼짝 않고 앉아있는 사람이라면 빵이나 면을 먹었을 때 식후혈당이 200mg/dL 이상 훌쩍 넘어버릴 가능성이 충분히 있다. 일상을 이런 연속혈당측정기로 확인하지 않아 모르고 지나칠 뿐이다. 특히 공복혈당이 100~125mg/dL 사이라면 정밀검사로 당뇨 여부를 확인해 보아야 한다. 그래야 당화반응으로 몸이 빠르게 망가지는 걸 막을 수 있다.

2019년 7월, KBS 〈생로병사의 비밀〉 팀과 함께 의자 중독sitting disease에 관한 내용을 방송하면서 연속혈당측정기 실험을 해 보기로 했다. 평소 신체활동 없이 오래 앉아있는 두 사람에게 연속혈당측정기를 착용하게 했는데 30대 중반의 남성은 방송국 편집감독으로 하루종일 앉아서 편집작업을 하는 그의 공복혈당은 94mg/dL였다. 그

날 점심 시간에 원격 모니터링을 하는 내 휴대폰에서 그의 혈당 수치가 가파르게 상승하더니 250mg/dL까지 올라갔다. 점심 식사로 무엇을 먹었는지 문자로 물었더니 사진과 함께 평양냉면에 녹두전을 먹었다는 답이 왔다.

또 다른 실험자인 40대 여성은 부산에서 공연이 많아 차를 운전해 부산까지 다녀오는 일이 많다고 했다. 집에서도 거의 앉아있고 움직이는 걸 그다지 좋아하지 않는다고 했다. 역시 병원에서 측정한 공복혈당은 98mg/dL로 정상수준이었다. 그런데 오후 늦게 혈당이 야금야금 올라가더니 140을 넘어서도 멈추지 않고 계속 올라가 199mg/dL을 찍었다. 무얼 먹었을까 궁금해 연락했더니 부산까지 차를 운전하다 중간에 휴게소에서 과자를 사 먹으면서 운전 중이라고 했다.

독자 여러분도 연속혈당측정기를 차고 생활해 보면 내 몸의 혈당치가 수시로 정상수준인 140mg/dL을 쉽게 넘나드는 걸 확인하게 될지도 모른다. 공복혈당이 126mg/dL 이상이면 당뇨병으로 진단하지만 당뇨병은 이때부터 시작되는 것이 아니다. 이미 수년 전부터 식후혈당이 정상수준인 140mg/dL을 훨씬 뛰어넘어 200mg/dL을 넘나들며 당화반응을 일으키고 인슐린저항성을 악화시키면서 당뇨합병증으로의 진행이 시작되었을 것이다.

스페인의 한 연구에 의하면 공복혈당과 당화혈색소(HbA1c)가 정상인 사람들에게 연속혈당측정기를 부착해서 관찰한 결과 조사대상자의 73%가 당뇨 전 단계에 해당하였고 5%는 당뇨병 환자였다.[59]

당뇨병 환자는 식후 혈당의 정점이 정상인과 비교해 늦게 나타나기 때문에 식후 2시간 혈당을 측정하지만, 건강한 사람은 식후 1시간 혈당이 정점을 찍는다. 서울대병원에서 발표한 연구결과를 보면 정상인의 식후 1시간 혈당이 145mg/dL을 넘으면 그렇지 않은 사람들과 비교해 당뇨병 발병 위험이 3배나 증가했다.[60]

매 끼니 밥을 한 공기 다 먹거나 빵이나 면류 음식을 즐겨 먹는다면 당뇨병에서 자유롭지 못하다는 의미가 된다. 정상 혈당인 사람에게는 공복혈당보다 식후 1시간 혈당이 향후 당뇨병에 걸릴 위험을 더 잘 예측해주므로 공복혈당 결과만 너무 믿지 말고 가끔 근처 병원에서 점심 식사 1시간 후에 혈당을 체크해 보길 추천한다.[61]

좋은 탄수화물 vs 나쁜 탄수화물

탄수화물이라고 다 똑같지 않다. 내가 섭취해야 할 탄수화물의 양은 신체활동량에 따라 결정된다고 말했다. 정해진 양에서 건강을 생각한다면 가급적 좋은 탄수화물을 챙겨 먹는 게 좋다. 그렇다면 어떤 탄수화물이 좋은 탄수화물일까.

1. 가공했는가, 자연 그대로인가

감자튀김과 찐 감자는 감자로 만들었으니 똑같은 음식일까? 통곡물을 있는 그대로 먹는 것과 정제 가공해서 흰쌀밥, 흰 밀가루 음식으로 먹는 것과는 분명 차이가 있다. 정제 가공할수록 체내 흡수가 잘되고 혈당을 빠르게 높인다. 아울러 함께 먹는 음식이 어떤가도 중요한데 현미밥이나 잡곡밥이 아니라도 흰쌀밥이 용서(?)되는 이유는 맨밥만 먹지 않고 채소와 단백질 반찬을 끌고 오기 때문이다. 통밀빵이 흰 밀가루빵보다는 낫지만 통밀이 조금 섞인 흰 밀가루빵을 통밀빵이라며 판매하는 곳에서는 사 먹지 말아야 한다.

2. 식이섬유가 풍부한가

식이섬유가 가장 풍부한 탄수화물은 채소와 과일이다. 하지만 과일에는 당류가 많다. 특히 인슐린저항성이 있는 사람이라면 과당이 많은 과일 섭취를 줄여야 한다. 채소류, 버섯류, 해조류는 식이섬유가 풍부하면서 당류가 거의 없어 마음껏 먹어도 되는 좋은 탄수화물이다. 콩은 탄수화물이 30~40% 정도지만 식물성단백질이 풍부하고 식이섬유와 올리고당 함량이 높은 건강식품이다. 정제하지 않은 통곡류도 식이섬유가 들어있는 좋은 탄수화물에 해당한다.

3. 당지수와 당부하지수가 낮은가

감자는 당지수Glycemic index가 높은 탄수화물이다. 몸에 들어오면 빠르게 소화 흡수되어 혈당을 높인다. 찐 감자는 당지수가 더 높고 현미밥보다는 흰쌀밥이 당지수가 높다. 그렇다고 무조건 현미밥을 고집할 필요는 없다. 흰쌀밥은 다양한 반찬을 끌고 오기 때문에 용서가 된다고 말했다. 현미밥만 먹는 것보다 흰쌀밥을 먹어도 나물반찬과 두부, 생선 같은 단백질 반찬을 함께 섭취하면 혈당이 서서히 올라간다. 현미밥이 흰쌀밥보다 당지수는 낮지만 현미밥 한 공기와 흰쌀밥

반 공기를 비교하면 어떨까. 당지수가 높더라도 총량이 적으면 혈당을 덜 높인다. 당부하지수Glycemic load는 당지수와 당섭취량을 합친 개념이다. 당지수가 낮다고 무조건 많이 먹어도 된다는 의미는 아니라는 말이다.

4. 액상인가, 고형인가

과일을 그냥 먹거나, 갈아서 주스로 마시는 차이는 무엇일까. 과일을 먹으면 식이섬유가 온전한 구조로 우리 몸에 들어와 혈당을 상대적으로 천천히 높인다. 반면 과일 주스는 당분의 농도도 올라가지만 빠르게 섭취되기 때문에 혈당이 급격히 올라간다. 게다가 같은 양이면 주스로 마시는 방식이 더 많이 먹기 쉽다.

건강하게 오래 살려면
나쁜 탄수화물은 무조건 끊어야 할까

채소, 통곡류, 과일은 건강식이다. 흰쌀밥은 현미밥에 비해 영양소 함량은 떨어지지만 채소 반찬과 단백질 반찬을 데리고 오기 때문에 건강식에 포함된다. 밥을 주식으로 먹는 식사를 해야 단백질을 충분히 챙겨 먹으면서 영양소의 균형을 맞출 수 있다. 그렇다면 빵으로 끼니를 때우거나 면 종류로 식사를 하는 건 피해야 할까.

나는 평소 설탕, 액상과당을 포함한 당류와 흰 밀가루 음식을 최대한 피하라고 권고한다. 빵과 면은 어쩌다 먹는 기호식품이지 주식으로 먹으면 안 된다는 것이 내 생각이다. 그렇다고 전혀 먹지 말라는 건 아니다.

우선 당류부터 알아보자. 당류는 단당류와 이당류를 지칭한다. 포도당, 과당은 단당류다. 포도당과 과당이 결합한 설탕은 이당류다. 액상과당은 포도당과 과당이 서로 비슷한 비율로 섞여있다. 편의점에서 두유, 요거트, 바나나우유 같은 액상음료의 영양성분을 찾아보면 탄수화물 함량이 있고 그 밑에 당류 함량이 표기된다. 당류는 혈당을 빠르게 높이는 탄수화물이다. 포도당은 인슐린 분비를 자극하는데 우리 몸에 포도당이 지속해서 많이 들어오면 인슐린에 과부하를 주어 인슐린저항성을 유발한다. 과당은 인슐린 분비를 직접 자극하지는 않지만 알코올과 마찬가지로 간에 부담을 주고 간에서 포도당으로 전환되지 못한 과당은 중성지방으로 간에 쌓이면서 지방간의 원인이 된다.

음식을 섭취했을 때 전분으로 들어온 포도당, 설탕이 분해되어 들어온 포도당은 간으로 들어가 바로 혈액으로 그냥 통과되어 뇌세포나 근육세포 등 에너지가 필요한 세포에 흡수된다. 밥, 국수, 감자 같은 음식은 녹말 형태의 포도당을 함유해 혈당을 높이지만 에너지원으로 사용된다.

설탕, 꿀, 과일, 과일주스, 청량음료에는 과당이 들어있는데 가공식품에는 액상과당의 형태로 과당이 들어있다. 과당이 간으로 들어가면 포도당으로 전환되어 혈액으로 나가지만 포도당이 충분하면 간에서 지방으로 바뀌어 비축된다. 일반적으로 과일은 성장기 마지막에 익는다. 과일이 익는 시기는 늦가을이고 이후 먹거리는 많지 않다. 따라서 생존을 위해서는 이 시기에 먹는 것을 지방으로 변화시키는 것이 더 유리하다. 겨울잠을 자는 동물이나 겨울을 동굴에서 견뎌내야 하는 원시 인류는 가급적 많은 에너지를 비축해두어야 했다. 따라서 과당 섭취가 많으면 인체는 그것을 겨울을 앞두고 있다는 경고신호로 받아들이고 과당을 지방으로 변화시켜 축적한다. 이 가설이 맞는다면 당시 원시 인류들은 가을에 과일을 많이 섭취해 몸속에 과당이 많이 들어와 지방축적으로 이어져 겨울나기 생존전략에 꼭 필요했을 것이다. 하지만 구석기 시대가 아닌 21세기 현대에 과일이 아닌 청량음료나 가공식품으로 과당을 과잉 섭취하면 우리 몸이 겨울을 대비해 지방축적에 나서려는 전략은 오히려 우리에게 해가 된다.

과당이 간에서 포도당으로 바뀌지 못하고 지방으로 축적되면 간은 포도당 저장창고가 되기에 비좁아져 포도당만을 고집하는 뇌에 안정적으로 포도당을 공급하지 못하게 된다. 그러면 뇌는 계속해서 달콤한 포도당을 달라고 고집한다. 탄수화물 중독에 빠지는 것이다. 아울러 지방간은 인슐린저항성을 일으킨다. 혈액 내 지방이 많아지면 근육세포에서도 지방을 받아들인다. 하지만 지방이 과다로 공급되는 경우 근육세포들은 필요량보다 더 많은 지방을 받아들이면서 지방이 쌓이게 된다. 지방이 쌓인 근육은 인슐린저항성을 일으킨다.

간에 적당한 과당이 들어오면 포도당으로 전환해 혈액으로 내보내지만 간에서 처리하기 힘들 정도로 많은 양이 갑자기 들어오면 간은 과당을 중성지방 형태로 바꿔버린다. 이렇게 만든 중성지방은

VLDL이라는 지방 운반차에 실린다. VLDL은 혈액을 돌면서 중성지방을 세포에 내어주고 크기는 점점 작아진다. 크기가 줄어든 입자를 LDL이라 하는데 LDL 입자들이 혈관에 동맥경화를 유발한다. 따라서 당류는 LDL콜레스테롤을 높이고 동맥경화와 심근경색을 초래한다. 실제 설탕을 많이 먹는 사람들은 심혈관질환으로 인한 사망위험이 많이 증가한다. 칼로리의 10~25%를 청량음료나 과일주스 등 당의 형태로 섭취한 사람들은 심혈관질환으로 인한 사망 위험이 30%나 상승했다. 청량음료를 많이 마시면 노화할수록 점점 짧아지는 텔로미어를 더욱 짧아지게 만든다.

당류, 특히 과당 섭취로 인해 생긴 지방간은 인슐린저항성을 유발하고 악화시킨다. 간은 남는 지방을 처리하고자 수송체인 VLDL에 빵빵하게 실어 근육에 먼저 보낸다. 결국 근육에도 지방이 쌓이면서 인슐린저항성은 점점 악화한다. 지방간, 근육내지방으로 인한 인슐린저항성 때문에 췌장은 인슐린을 더 많이 분비하고 지방간과 인슐린저항성은 내장지방 축적을 가속하면서 내장지방 조직에서 분비되는 염증 유발물질은 몸을 만성염증으로 만든다. 만성염증과 고인슐린혈증은 비만, 심혈관질환, 당뇨병, 암, 치매 등의 위험을 높인다.

앞서 언급한 고탄수화물 저지방 식단이든 저탄수화물 고지방 식단이든 설탕은 제한해야 하는 식품이다. 흰 밀가루 음식도 당지수가 높아 인슐린저항성을 일으킬 수 있다. 과일도 정상체중을 가진 사람에겐 건강식이지만 인슐린저항성이 있거나 뱃살이 계속 나오는 사람에겐 과당을 공급하기 때문에 독으로 작용한다. 자, 그렇다면 지금까지 말한 음식을 어떻게 먹어야 할까.

아직 젊고 배가 나오지 않은 사람이라면 탄수화물 음식을 가리지 않고 마음껏 먹어도 괜찮다. 하지만 계속 그렇게 먹는다면 결국 배가 나오고 체중이 늘어날 것이다. 이미 체중이 늘어나있고 특히 뱃살이 나와 있는 사람은 이런 음식들을 자제해야 한다. 하지만 먹는 즐거움도 포기하기 힘든데 이런 음식을 끊으면 행복지수나 삶의 질도 떨어진다. 그렇다면 적어도 뱃살을 빼고 지방간에서 벗어난 상태에서 이런 음식을 먹는 게 장수에 도움이 되지 않을까? 평생 밀가루 음식을 먹고 싶은 사람은 간간이 내 몸이 회복될 때까지 설탕과 흰 밀가루 음식을 끊어보려는 노력이 필요하다.

간헐적 단식은 이런 사람들에게 도움을 줄 수 있다. 아직 뱃살이 없고 살이 찌지 않은 사람은 지금부터 간헐적 단식을 실천하면 더 이상 살이 찌지 않는다. 좋아하는 케이크와 면을 마음 편하게 먹어도 괜찮다. 하지만 이미 뱃살이 나와 있고 체중을 줄여야 하는 사람은 설탕과 밀가루 음식을 끊고 간헐적 단식을 시행해 지금보다 더 건강한 몸을 만들어야 한다. 뱃살과 인슐린저항성에서 벗어나야 밀가루 음식을 먹을 수 있는 자격이 부여되는 것이다.

과일도 마찬가지다. 블루베리, 블랙베리, 라즈베리, 딸기 등은 당 함류량이 상대적으로 적어서 사과나 포도보다는 이런 과일을 주로 먹으면 좋다. 아울러 과일은 스무디나 주스 형태로 마시지 말고 통째로 먹는 게 건강에 좋다. 그래서 아침 식사로 무첨가 요거트에 블루베리를 넣어 먹는 식사는 건강과 장수를 위한 아주 좋은 식단이다.

3장

지방

———— 지방은 뇌 건강에 꼭 필요한 영양소로, 피부와 모발을 건강하게 유지하려면 필수지방산을 꼭 챙겨 먹어야 한다. 올리브유, 들기름, 아마씨유, 아보카도, 견과류, 씨앗류, 등푸른생선 등의 천연재료에서 나오는 좋은 지방을 잘 챙겨 먹어야 지용성 비타민인 비타민 A, D, E, K의 결핍을 막을 수 있다. 지방이 탄수화물이나 단백질과 비교해 칼로리가 높다는 이유로 지방 섭취를 피하려는 사람들이 있는데 박용우 건강 다이어트는 칼로리를 따지지 않는다. 몸에 좋은 음식이면 챙겨 먹고 건강에 해로운 음식이면 최대한 피하는 것이 기본 원칙이기 때문이다.

살을 빼려면 탄수화물을 줄일까, 지방을 줄일까

탄수화물 섭취를 최대한 줄이는 앳킨스 다이어트, 저탄고지 다이어트는 과연 절대 선일까? 탄수화물을 제한하고 지방을 섭취하면 무조건 살이 빠지고 건강해질까? 특정 식이요법이 효과를 볼 것인가는 상당히 개인적인 접근이 필요하다. 개인마다 체질과 몸 상태가 달라 효과가 다르기 때문이다.

스탠퍼드 대학 연구자들은 300여 명의 비만인 여성들을 무작위로 분류해 앳킨스 다이어트, 존 다이어트, 저지방 다이어트 3개의 다이어트법을 시행했다. 참고로 앳킨스 다이어트는 탄수화물 섭취를 전체의 20% 미만으로 제한하고 단백질과 지방을 마음껏 먹는 다이어트 방법이며, 존 다이어트는 탄수화물 40%, 단백질 30%, 지방 30%의 비율로 음식을 섭취하는 다이어트 방법이고, 저지방 다이어트는 지방 섭취를 전체의 20% 미만으로 제한하는 다이어트 방법이다. 1년 뒤 결과에서는 앳킨스 다이어트가 가장 체중감량 효과가 좋았다. 그런데 앳킨스 다이어트를 실천했던 그룹 중에서 체중이 전혀 줄어들지 않은 여성들이 있었다. 탄수화물 섭취를 제한한다고 해서 누구나 체중이 줄어드는 건 아니라는 의미다. 그런가 하면 지방 섭취를 줄였을 때 체중감량 효과가 가장 큰 사람들도 있었다. 결국 탄수화물을 줄인다고 무조건 체중이 빠지는 것이 아니라 인슐린 작용이 활발한 사람은 탄수화물보다 지방을 줄일 때 더 효과가 있었고, 인슐린저항성이 쉽게 생기는 사람은 지방보다 탄수화물을 줄일 때 더 효과가 있었다는 결론을 얻었다.

저탄고지 다이어트, 지방을 마음껏 먹으라는데 정말 그래도 괜찮을까

저탄고지 다이어트를 주장하는 사람들은 탄수화물과 단백질은 인슐린을 자극하는데 지방은 인슐린을 자극하지 않기 때문에 탄수화물이 들어오지 않아도 지방이 쌓이지 않고 연료로 사용되어 많이 먹어도 괜찮다고 말한다. 하지만 인슐린은 다이어트의 적이 아니다.

탄수화물과 단백질을 충분히 섭취하지 않아 인슐린이 제대로 분비되지 않으면 우리 몸의 합성모드가 정상적으로 작동하지 않는다. 지방이 쌓이지 않는 건 물론이지만 근육합성도 잘 이루어지지 않는다. 보디빌더들이 근육량을 늘리기 위해 단백질 보충제를 먹을 때는 반드시 탄수화물을 함께 섭취한다. 근육을 붙이기 위해서는 mTOR를 확실히 자극해야 하기 때문이다.

탄수화물 섭취를 제한하면 지방이 정상적인 연소를 하기보다는 케톤을 만들어내는 불안정한 대사모드로 바뀐다. 사실 케톤을 만드는 건 탄수화물 섭취를 줄일수록 근육단백의 손실이 커지기 때문에 이를 최소화하려는 우리 몸의 고육지책이다. 만약 고지방 다이어트에서 단백질을 충분히 섭취하지 않을 경우 근육손실을 피할 수 없게된다. 다행히(?) 고지방식을 하다 보니 자연스럽게 고단백식이 동반

되어 근육손실을 줄일 수는 있지만 탄수화물을 계속 제한하면 근육량이 줄어들 위험이 증가한다.

　장기간의 고지방식은 부작용 가능성이 크다는 걸 학자들도 잘 알고 있기 때문에 사람을 대상으로 한 임상시험 결과가 거의 없다. 황제 다이어트라는 이름으로 알려진 앳킨스 다이어트와 다른 다이어트의 체중감량 효과를 비교한 논문들은 있지만 대부분 3개월 미만의 단기 실험이고 일부 연구도 6개월, 혹은 길어야 1년 정도를 관찰했을 뿐, 수년간의 장기관찰 연구는 거의 찾아볼 수 없다. 대신 동물실험 결과를 참고하자면 고지방식을 먹었을 때 만성염증이 악화하고 인슐린저항성이 나타났다. 실험에서 동물들에게 탄수화물을 제한하고 고지방식을 먹게 하면 근육세포가 포도당을 에너지원으로 쓰지 않게 되면서 포도당을 글리코겐 형태로 근육세포에 축적하려 하지 않았다. 대신 지방을 에너지원으로 사용하기 위해 근육 내 지방량이 늘어났다. 근육내지방이 늘어나면 근육의 미토콘드리아 손상이 오고 인슐린저항성도 생긴다. 간에서도 글리코겐을 축적하는 대신 지방이 쌓이게 된다. 그렇다면 사람에게서는 어떨까?

　고지방식을 오랜 기간 동안 유지할수록 공복시 혈당이 올라가는 것으로 나타났다. 결국 고지방식을 장기간 지속하면 인슐린의 효율이 떨어지면서 인슐린저항성이 생길 수 있다는 말이다. 단백질의 경우와 마찬가지로 지방 섭취량이 많으면 소화 흡수되지 않은 지방은 대장으로 내려가 유해균의 먹이가 된다. 아울러 장내에서 만성염증을 유발하는 물질의 생성이 늘어나면서 몸을 만성염증 상태로 만들

위험이 커진다.

　지방 섭취에서 고려해야 할 사항이 또 하나 있는데 유해화학물질은 대부분 지방에 녹는 지용성이기 때문에 지방조직에 쌓일 수 있다. 그래서 좁은 우리에서 사료를 먹고 사란 동물의 지방에는 항생제나 잔류 농약 같은 화학물질들이 함유되어 있을 수 있다. 삼겹살을 수입할 때 삼겹살 지방에서 다이옥신 농도를 검사하는 이유도 유해화학물질이 지방에 먼저 쌓이기 때문이다. 기름기 많은 참치에도 수은이 많기 때문에 임신한 여성은 가급적 먹지 말길 권고한다. 낙지의 카드뮴 오염은 다리가 아닌 내장에서 검출된다. 모두 유해화학물질이나 중금속이 지방에 잘 쌓이는 성질 때문이다.

　그렇게 본다면 생태계 피라미드 꼭대기에 위치한 인간의 지방이야말로 오염이 가장 심하지 않을까. 농약을 사용하지 않은 풀밭에서 자연 방목으로 키운 소의 육류와 우유, 치즈, 버터를 고집스럽게 사먹지 않는 이상 지방 섭취가 늘면 유해화학물질의 흡수도 증가할 수 있다는 점을 알아야만 한다.

포화지방은
건강의 적인가

　지방에는 포화지방과 불포화지방이 있다. 흔히 포화지방은 동물성지방, 불포화지방은 식물성지방으로 잘못 알고 있는데 지방을 함유한 거의 모든 식품에는 포화지방과 불포화지방이 모두 함유되어 있다.

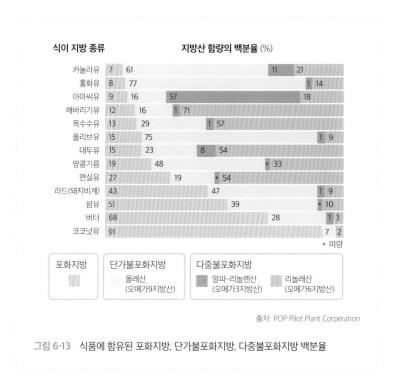

식이 지방 종류	지방산 함량의 백분율 (%)
카놀라유	7, 61, 11, 21
홍화유	8, 77, 1, 14
아마씨유	9, 16, 57, 18
해바라기유	12, 16, 1, 71
옥수수유	13, 29, 1, 57
올리브유	15, 75, 1, 9
대두유	15, 23, 8, 54
땅콩기름	19, 48, *, 33
면실유	27, 19, *, 54
라드(돼지비계)	43, 47, 1, 9
팜유	51, 39, *, 10
버터	68, 28, 1, 3
코코넛유	91, 7, 2

* 미량

포화지방

단가불포화지방
올레산
(오메가9지방산)

다중불포화지방
알파-리놀렌산
(오메가3지방산)
리놀레산
(오메가6지방산)

출처: POP Pilot Plant Corperation

그림 6-13　식품에 함유된 포화지방, 단가불포화지방, 다중불포화지방 백분율

올리브유와 카놀라유는 오메가9 지방산이 아주 풍부하다. 아마씨유는 오메가3지방산이 전체지방의 57%를 차지하는 좋은 지방이다. 버터는 포화지방산이 68%나 되지만 나머지는 오메가9 지방산이다. 돼지비계(라드)는 포화지방산보다 오메가9 지방산이 더 많다.

고기를 먹을 때 비계를 떼어내고 먹거나 냉면을 먹을 때 달걀노른자를 빼고 먹는 사람들을 종종 본다. 동물성지방, 특히 포화지방은 정말 건강의 적일까? 우리나라 사람들의 지방 공급원 1위는 돼지고기이므로 돼지비계의 성분부터 살펴보자. 돼지비계에는 불포화지방이

57%를 차지한다. 그것도 불포화지방의 대부분이 올리브오일의 주성분인 올레인산이다. 어쨌든 식물성기름과 비교해 동물성지방에 포화지방이 더 많은 건 사실이다.

미국 심장협회American Heart Association의 가이드라인을 보면 지방을 총 섭취에너지의 20~35% 섭취하도록 권고하고 있다. 포화지방은 총 섭취에너지의 5~6%를 섭취하라고 한다. 과거 10% 미만으로 섭취하라는 권고보다 더 강력해졌다. 포화지방을 하루 13g 정도 섭취하라는데 나 같은 전문가조차 어떻게 먹어야 할지 감이 오질 않는다. 그렇다면 왜 포화지방은 이렇게 천덕꾸러기 신세가 되었을까?

미국은 부동의 사망원인 1위를 심장질환이 차지하고 있다. 부검을 통해 죽상동맥경화 환자의 혈관을 보면 혈관 벽에 콜레스테롤이 덕지덕지 붙어있다. 그래서 콜레스테롤이 심장질환의 중요한 위험인자로 자리매김하게 된다. 콜레스테롤은 동물성지방에만 들어있는데 포화지방 섭취가 늘어날수록 혈중 콜레스테롤 수치가 증가하고 불포화지방 섭취가 많을수록 콜레스테롤 수치가 떨어진다. 포화지방은 콜레스테롤 수치를 높이고, 콜레스테롤은 심장질환의 주요 위험요인이니 당연히 포화지방 섭취를 줄여야 한다는 결론에 이르게 된다.

포화지방에 대한 학자들의 경고는 1953년에 처음 등장했다. 생리학자인 앤셀 키스Ancel Keys 박사가 〈죽상 동맥경화증, 현대인들의 건강을 위협하다〉라는 제목으로 논문을 발표했다. 그는 미국에서 전체 사망률은 감소하는데 심장질환으로 인한 사망률은 꾸준히 증가하고 있으며, 여기에는 지방 섭취와 심장질환이 서로 통계적 연관성이 있다고 주장한다. 이 연구는 여러 가지 허점이 많이 발견되어 학자들 사이에서 논란이 일었지만 미국 정부는 이에 국가 시책으로 1978년부터 지방 섭취 줄이기에 돌입해 총 지방섭취량을 40%에서 30% 수준으로 줄였다. 결과는 어땠을까? 미국 성인 총콜레스테롤 수치는 평균 213에서 203으로 떨어졌고 혈중 콜레스테롤 수치가 높은 사람들의 비율이 26%에서 19%로 감소했다.

하지만 심장질환은 전혀 줄어들지 않았으며 오히려 비만과 당뇨병이 큰 폭으로 증가하는 결과를 초래했다. 지방 섭취량을 일부러 줄이면서 지방이 줄어든 자리를 탄수화물, 그것도 정제가공 탄수화물이 차지했기 때문이다. 마치 동네 불량배들을 소탕하겠다고 다 쫓아냈더니 더 무서운 조폭들이 그 빈자리를 차지해버린 셈이 된 것이다.

주류의학은 아직도 포화지방을 심장질환의 발병 위험을 높이는 위험인자로 보고 있다. 하지만 육류섭취가 미국이나 유럽만큼 많지 않은 우리나라에서도 포화지방 섭취 제한을 철저하게 지키는 일이 맞는지는 다시 생각해 볼 문제다. 콜레스테롤이 많이 들어있는 음식이 콜레스테롤을 높이는 건 아니라는 게 이제 사실로 밝혀졌다. 그리고 포화지방이 해롭다고 포화지방이 줄어든 자리에 설탕과 흰 밀가루 음식이 비집고 들어오는 건 더 큰 해를 초래할 수 있다.

실제로 최근에는 포화지방과 심장질환의 연관성을 찾을 수 없다는 논문들이 심심치 않게 나온다. 포화지방이 심장질환 발병에 영향을 주는지를 연구하려면 다른 조건들을 철저하게 통제해야 한다. 특히 지방보다 더 큰 영향을 주는 탄수화물을 철저하게 통제해야 한다.

실제 포화지방을 줄이고 그 자리에 오메가3지방산 같은 불포화지방으로 대체했을 경우에는 심장질환 발병 위험이 뚝 떨어진다. 하지만 포화지방을 줄인 자리에 정제 탄수화물이 자리를 차지하면 심장질환 발병 위험은 오히려 증가한다.

어떤 지방을 먹고, 어떤 지방을 먹지 말아야 할까

삼대영양소 중에서 mTOR를 자극하는 첫 번째는 단백질(아미노산)이고 그다음이 당류와 인슐린이다. 지방도 mTOR를 자극하지만 아미노산과 당류와 비교해 그 자극이 약하다. 나쁜 지방과 좋은 지방을 구분해 좋은 지방을 잘 챙겨 먹는 건 오히려 건강에 도움이 된다. 좋은 지방에는 올리브유, 아보카도, 견과류, 등푸른생선인 연어와 고등어, 들기름, 아마씨유 등이 포함된다. 지중해식이 건강식이 된 이유 중에는 올리브유를 포함한 좋은 지방이 많이 함유되어 있기 때문이기도 하다. 지중해식단에서 심혈관질환 발병위험을 줄여준 첫 번째 음식은 올리브유였다. 그 뒤를 채소, 과일, 콩류, 생선 등이 잇고 있다. 그렇다면 피해야 할 지방에는 무엇이 있을까?

바로 가공식품에만 포함되어 있는 트랜스지방이 그것이다. 천연 음식에는 트랜스지방이 거의 없다. 트랜스지방은 가공식품에만 들어 있는 지방으로 이해하면 되는데 액체형태의 불포화지방산을 인공석으로 굳혀 만든 지방으로는 마가린, 쇼트닝이 대표적이다. 트랜스지방이 우리 몸에 들어오면 쉽게 빠져나가지 않고 자리를 잡는다. 세포막에 트랜스지방이 들어오면 세포막의 유연성을 떨어뜨리고 딱딱하게 만든다. 또한 트랜스지방은 '나쁜' LDL콜레스테롤 수치를 높이고 '좋은' HDL콜레스테롤 수치를 떨어뜨린다. 만성염증과 인슐린저항성도 악화시킨다.

도넛, 팝콘, 감자튀김, 감자칩, 튀긴 음식들에는 트랜스지방이 많다. 케이크나 빵도 마가린이나 쇼트닝으로 만들면 트랜스지방에서 자유롭지 못하다. 과자의 영양성분에 트랜스지방 0이라고 쓰여있다 해도 0.5g 미만으로 들어있다는 의미지 트랜스지방이 전혀 들어있지 않다는 의미가 아니다. 튀긴 지 오랜된 튀김요리나 여러 번 사용한 기름으로 튀긴 음식은 트랜스지방 뿐 아니라 산패한 기름과 유해성분이 함유되어 있을 수 있으므로 먹지 않는 게 건강에 좋다.

4장

영양보충제

———————— 건강을 위해 종합비타민제를 꼬박꼬박 복용하는 사람들이 우리 주변에 많다. 그런데 비타민, 미네랄을 영양제의 형태로 따로 보충할 필요가 없다고 주장하는 전문가들도 있다. 혈관건강에 도움이 되는 오메가3지방산이나 장건강에 도움이 되는 프로바이오틱스도 굳이 영양보충제의 형태로 먹을 필요가 없다고 말한다. 백세시대를 살아야 하는 우리에게 건강한 노후를 맞이하기 위해 이러한 영양보충제를 복용하는 일은 건강에 전혀 도움이 되지 않는 것일까.

영양보충제,
꼭 먹어야 할까

가까운 미래에는 손가락에서 혈액 한 방울만 채취해 내 몸에 부족한 영양소가 무엇인지 확인할 수 있게 된다. 그렇다면 한 웅큼의 영양제가 아니라 내 몸에 필요한 영양소만 보충할 수 있는 맞춤형 영양제 처방도 가능해진다. 하지만 아직까진 내 몸이 어떤 영양제가 부족한지 모르니 종합비타민 미네랄제를 챙겨 먹을 수밖에 없다. 하지만 제도권 의료계에서는 영양보충제 복용을 아직 적극적으로 권장하지 않는다. 영양보충제 복용이 심혈관질환이나 암 발생 위험을 줄인다는 객관적 근거가 부족하다는 것이 현재까지의 연구결과다. 그래서 영양보충제보다는 음식 섭취를 통해 영양소들이 부족해지지 않도록 권하고 있다. 하지만 나이가 들수록 영양보충제 복용이 건강에 도움이 될 것이라는 게 내 생각이다.

미국에서 종합비타민제를 비롯한 영양보충제를 복용하는 사람들은 일반적으로 교육수준이 높고, 경제력도 높은 것으로 나타났다. 그러니까 건강식을 챙겨 먹고 규칙적으로 운동하는 사람들이 건강을 챙기기 위해 보충제를 먹는 것이다. 미국 노인인구의 68%가 종합비타민제를 복용하고 있고 1/3은 하루 4가지 이상의 영양보충제를 복용하고 있다고 한다. 미국 하버드의대 보건대학원 월터 윌렛Walter Willett 교수는 대부분의 미국인이 음식으로 필요한 영양소들을 섭취하고 있지만 영양제 형태로 종합비타민을 매일 복용하는 건 '노후를 대비한 보험'으로 건강에 도움이 된다고 말했다.

미국의 89세 원로학자 블루스 에임스Bruce Ames 박사는 항노화 영양제로 41가지 비타민과 미네랄을 추천했다. 이 영양소들이 부족해지면 노화가 빨라진다는 주장이다.[62] 에임스 박사는 오래전부터 '트리아지 이론'triage theory'을 주장해왔는데 트리아지Triage는 환자 중증도 분류라는 뜻으로, 환자의 경중을 짧은 시간에 파악해 치료 순위를 정하고 한정된 자원을 어떻게 배분할지 정하는 것이다. 마찬가지로 우리 몸에도 필수영양소가 부족해지면 우리 몸은 남아있는 부족한 영양소를 어디부터 배분할지 결정해야 한다. 생존에 필요한 급한 상황에 먼저 필수영양소를 이용하면 노화를 늦추는 반응에는 이 영양소들을 사용할 수가 없다.

예를 들어 우리 몸에서 마그네슘이 부족해지면 우선 급한 대로 근육경련 반응을 완화하는 데 먼저 몸속 마그네슘을 투여해야 한다. 손상된 DNA를 복구하는, 상대적으로 덜 급한 상황에는 미처 충분히 공급할 수 없게 되는 것이다. 앞서 우리 몸의 DNA는 본능적으로 생존과 종족 번식에 충실하게 프로그램되어 있다고 했다. 그래서 늙어서 오래 장수하는 쪽보다는 당장의 생존을 위한 쪽에 먼저 반응하기 때문에 나이 들어 오래오래 건강하게 살기 위해서는 우리 몸이 부족한 자원을 어디에 먼저 배분할지 굳이 고민하게 만들 필요 없도록 평소 필수영양소의 결핍이 없어야 한다. 임신 중일 때 영양상태가 부실하면 아이가 태어나 성인이 되었을 때 만성질환에 잘 걸리는 것도 비슷한 맥락이다.

나이들수록 건강을 유지하기 위해
꼭 필요한 영양소

그렇다면 어떤 영양소들을 보충해야 할까. 종합비타민 미네랄제제 한 알만 먹어도 충분할까. 젊은 사람의 몸과 나이 든 사람의 몸이 서로 다른데 나이가 들수록 더 챙겨 먹어야 하는 영양소들은 무엇일까. 음식으로 부족한 영양소들을 챙겨 먹기 힘들다면 영양보충제의 형태로라도 꼭 챙겨 먹어야 하는 영양소들을 나열해 보자.

비타민 D: 비타민 D는 뼈, 근육, 신경, 면역시스템에 필요한 영양소다. 칼슘 흡수를 도와주기 때문에 나이 들수록 비타민 D가 부족하지 않아야 한다. 비타민 D가 부족하면 면역력이 떨어지는데 실제 대학병원 암센터 입원 환자들 대부분이 비타민 D가 결핍되어 있다는 연구보고도 있다. 겨울철에 감기 환자가 많은 이유도 단순히 기온이 낮아서만은 아니다. 겨울철에는 혈중 비타민 D 수치가 다른 계절에 비해 가장 낮다. 비타민 D는 햇빛만 충분히 받으면 몸에서 만들어지는데 나이 들수록 외출하는 시간이 줄어들고 실내에 머무는 시간이 많아진다. 창문으로 들어오는 햇빛으로는 비타민 D를 합성할 수 없다. 게다가 나이가 들수록 비타민 D 합성 능력도 떨어진다.

비만인 사람은 지용성 비타민 D가 지방조직에 녹아 들어가 혈중 농도가 떨어질 수 있어 필요량보다 더 많은 양을 챙겨 먹어야 한다. 연어, 고등어 같은 등푸른생선, 생선간유, 말린 버섯 등이 주요 급원이지만 비타민 D는 주사를 맞거나 영양보충제 형태로 복용하는 것이 결핍을 막을 수 있는 가장 확실한 방법이다.

권장량은 50~69세는 하루 최소 600IU(15mcg), 70세 이상이면 최소 800IU(20 mcg) 이상 섭취한다. 나는 영양보충제 형태로 하루 1,000~2,000IU(25~50mcg)를 매일 복용하길 권장하는데 하루에 4,000IU(100mcg)를 넘지 않아야 한다. 여름에는 1,000IU, 겨울에는 2,000IU를 복용하면 된다.

칼슘: 칼슘은 뼈 건강에 필요한 영양소다. 특히 폐경기 이후의 중년여성은 골밀도가 빠르게 감소하기 때문에 칼슘을 잘 챙겨 먹어야 하는데 칼슘은 근육, 신경, 혈관 건강에도 필수적이다. 나이가 들수록 체내 흡수율이 떨어지기 때문에 50세 이후에는 젊었을 때보다 칼슘을 20% 정도 더 섭취해야 한다. 우유, 요거트, 치즈, 멸치, 뱅어포, 두부 등이 좋은 급원이다.

권장량은 남성 50~69세는 하루 1,000mg, 70세 이상은 하루 1,200mg을 섭취한다. 여성은 50세 이상부터 하루 1,200mg 섭취한다. 단 남녀 모두 하루 2,000mg 이상을 섭취해서는 안 된다. 가능하면 음식으로 칼슘을 섭취하길 추천하지만 우리는 서구인들과 비교해 유제품을 즐겨 먹지 않으므로 칼슘 섭취가 충분하지 않을 가능성이 크다. 그래서 칼슘 보충제를 복용할 경우에는 구연산칼슘은 음식과 상관없이 섭취해도 되지만 그 밖의 칼슘보충제는 음식과 함께 섭취할 때 흡수가 더 잘 되기에 음식과 함께 먹길 추천한다. 구연산칼슘은 하루 200~1,000mg 복용하고, 600mg 이상 필요한 경우 아침 저녁으로 나누어 복용한다.

비타민 B12: 적혈구 생성, 신경세포 기능, 신진대사, 뼈 건강에 필수적인 영양소로 부족하면 기억력 감퇴, 빈혈, 손발 저림 등의 증상이 나타난다. 성인의 약 5~15%에게서 비타민 B12 결핍이 있고 나이가 들수록 결핍 위험이 증가한다. 육류, 생선, 해산물, 달걀, 유제품이 좋은 급원이며 동물성식품에서 얻을 수 있는 영양소이기 때문에 채식주의자들은 따로 영양제 형태로 챙겨 먹어야 한다. 흡수에는 위산이 필요하기 때문에 평소 제산제를 자주 복용하는 사람이나 위축성위염이 있는 50세 이상인 사람이라면 젊었을 때보다 20~30% 정도 더 많이 섭취해야 한다. 권장량은 하루 2.4 mcg이다. 50세 이상은 결핍을 예방하기 위해 영양보충제로 복용할 것을 권장한다.

노인들에게 8주간 비타민 B12 500 mcg을 복용하게 한 결과 90%에서 수치가 정상 수준으로 올라왔다.[63] 하지만 영양보충제의 형태로 우리 몸에 들어오는 비타민 B12는 그 흡수율이 아주 낮다. 500mcg을 복용하면 10mcg 정도가 흡수된다.[64] 다행히 비타민 B12는 고용량으로 복용해도 심각한 부작용이 나타나지 않는다. 다만 신장질환이 있는 사람이라면 1,000mcg을 넘기지 않는 것이 좋다.

엽산: 엽산은 DNA, RNA를 만들고 아미노산 대사에 관여해 세포성장에 필수적인 영양소로 임신 초기에 엽산이 부족하면 기형아를

유발할 수 있다. 비타민 B12와 마찬가지로 부족하면 빈혈이 생기며 간, 녹색잎 채소, 견과류, 콩류 등에 많이 들어있다.

권장량은 400~600mcg이다. 엽산은 음식에 들어있는 천연엽산 dihydrofolate과 종합비타민제에 들어있는 합성엽산folic acid이 있다. 체내에 들어오면 둘 다 효소에 의해 활성형엽산L-methylfolate로 바뀐다. 뇌로 들어가 세로토닌이나 도파민을 만드는 데 관여하는 엽산은 활성형엽산이다. 활성형으로 바뀌지 않은 엽산은 전립선암 발병 위험을 높일 수 있다고 해 영양보충제로 복용할 경우 합성엽산보다는 활성형엽산을 추천하는 전문가들이 많다.[65]

우울증이나 엽산결핍으로 인한 빈혈 치료에는 활성형 엽산 7.5~15mg을 처방한다. 엽산보충제를 고용량으로 계속 복용하면 비타민 B12 결핍의 증상이 가려져 결핍이 더 악화될 수 있다. 따라서 엽산을 복용할 예정이라면 비타민 B12, B6가 모두 들어있는 '비타민 B군 복합제'를 선택하는 것이 좋다.

비타민 B6: 신진대사와 면역시스템을 잘 유지하는데 중요한 영양소다. 뇌 건강에도 중요하며, 비타민 B6가 부족한 노인들에게서는 우울증 발병위험이 두 배나 증가하기 때문에 나이가 들수록 비타민 B6를 더 많이 섭취해야 한다. 비타민 B6가 충분할수록 노년의 기억력 유지에 도움이 되었다는 연구결과도 있다. 병아리콩, 간, 통곡류, 참치, 연어, 고등어, 감자, 바나나 등이 급원이다.

권장량은 1.3~1.7mg이다. 영양보충제로 복용할 경우 30~250mg

까지 처방하기도 하지만 100mg을 넘으면 부작용 발생 가능성이 크므로 그 이하로 복용할 것을 추천한다.

마그네슘: 단백질 합성과 신진대사에 중요한 영양소다. 뇌 건강을 유지하고 뼈를 조성하는 데에 필요하며 근육이완, 수면, 변비 개선에도 도움을 준다. 혈압과 혈당을 안정적으로 유지하는 데에도 필요한데 마그네슘 결핍은 여러 만성질환과 밀접한 관련이 있다. 당뇨병, 골다공증, 고혈압, 동맥경화증, 부정맥, 우울증, 알츠하이머병 등이 여기에 해당한다. 미국과 유럽 사람들의 식단에 들어있는 마그네슘은 권장량의 30~50% 수준이라고 한다.[66]

견과류, 씨앗류, 녹황색 채소, 통곡류, 콩류 등에 많이 포함되어 있으며 나이가 들면서 이런저런 약물을 많이 복용하는데 오히려 이것이 마그네슘 결핍을 유발할 수 있다.

권장량은 여성 320mg, 남성 420mg이다. 변비, 불면, 근육경련, 우울 등의 증상이 있다면 영양보충제 복용을 고려해 봐야 한다. 보충제 용량은 하루 125~400mg이다.

아연: 나이가 들수록 몸에서 결핍이 많아 잘 챙겨 먹어야 하는 영양소다. 감염이나 염증과 싸우는 데 필요하며 부족하면 면역력이 떨어지고 DNA 손상을 유발하여 암, 자가면역질환, 당뇨병 등 질병에 걸릴 위험도 증가한다. 미각, 후각을 유지하는 데도 관여한다. 굴이 가장 좋은 급원이며 그 밖에 소고기, 해산물 등에 많이 들어있다. 콩

류나 통곡류에도 들어있지만 식물성 식품에 들어있는 아연은 체내에 흡수가 잘 되지 않는다.

권장량은 남성 11mg, 여성 8mg이다. 평소 육류섭취가 많지 않다면 종합비타민제 형태로 아연을 복용하는 것이 좋다. 57세 이상 성인 55명을 대상으로 12개월간 아연보충제 45mg를 매일 복용하게 한 결과 감염성질환 발병률, 산화스트레스 정도, 염증지표 등이 먹지 않은 대조군과 비교해 두드러지게 감소했다.[67] 상한선은 40mg이지만 노인의 경우 아연 결핍이 의심되면 적어도 하루 30mg 이상 보충해야 의미 있게 효과가 있다는 것이 학자들의 주장이다.

셀레늄: 면역력 유지에 중요한 영양소다. 갑상샘 호르몬 대사, DNA 합성, 산화스트레스 방지 등에 중요한 역할을 한다. 치매, 갑상샘질환, 일부 암 등의 예방에 도움이 될 수 있다. 육류와 해산물에 많이 들어있고 통곡류, 유제품, 달걀에도 들어있다. 브라질너트에 가장 많은데 1g에 약 20mcg가 들어있어 하루에 1~2개만 먹어도 충분하다. 건강한 성인에겐 결핍이 드물고 셀레늄을 너무 과다하게 섭취하면 탈모가 생기고 손톱이 약해진다. 권장량은 55mcg이고 상한선은 400mcg이다.

비타민 C: 대표적인 항산화영양소다. 백내장 예방에 도움을 주고 상처치유와 회복에 필요한 영양소다. 나이가 들수록 신진대사 속도가 떨어지는데 비타민 C를 충분히 섭취하면 신진대사를 유지하는 데 도움을 준다. 채소와 과일에 풍부하다지만 특성상 열에 약하고 쉽게 산화되므로 열을 가하지 않은 신선한 채소나 과일을 통해 섭취해야 한다. 권장량은 100mg이고 상한선은 2,000mg이다. 고용량 복용을 주장하는 학자들은 3~20g까지 복용하는 걸 권장한다.

비타민 C를 하루 200mg 이상 꾸준히 복용한다고 해서 감기에 걸리지 않는 건 아니지만 감기 증상을 완화하거나 증상 기간을 단축하는 데에는 도움이 된다.[68]

비타민 C는 수용성이라 과량으로 섭취해도 소변으로 빠져나가지만 개인에 따라 3g 이상 복용할 경우 설사, 메스꺼림, 복통, 피로감, 두통, 불면 등의 증상이 나타날 수 있다. 간 질환, 신장질환, 통풍, 요로결석 과거력이 있는 경우에는 하루 1,000mg을 넘기지 않는 것이 좋다. 체중감량을 목적으로 하는 경우 비타민 C를 하루에 500~1,500mg 섭취하면 신진대사를 유지하는 데 도움이 된다.

칼륨(포타슘): 세포 내 수분에 많이 들어있는 전해질로 고혈압, 중풍, 골다공증 예방에 도움이 된다. 채소와 과일에 많이 들어있으며 렌틸콩, 감자에도 많다.

오메가-3 지방산: 우리 몸에서 만들어내지 못하는 '필수' 지방산으로 눈 건강, 뇌 건강에 중요하다. 항염증 효과가 있어 나이 들수록 잘 챙겨 먹어야 하는 영양소다. 정자생성에 필요하고 중성지방 수치가 높은 사람들에게 도움이 된다. 알츠하이머병, 퇴행성관절염, 황반변성 예방에도 도움을 준다. 연어 등 기름기 많은 생선, 견과류, 들기름, 아마씨유, 카놀라유 등이 급원이다. 권장량은 DHA/EPA 250~500mg 이다. 보충제로 하루에 1~2g 복용한다.

식이섬유: 소화되지 않은 채 대장까지 내려가 장내 유익균의 먹이가 되어 변비를 예방하는 효과도 있다. 장건강에 중요한 영양소란 의미다. 50세 이상 여성은 하루 25g 이상, 남성은 하루 30g 이상 섭취해야 한다. 채소와 통곡류에 풍부하다.

신바이오틱스: 장내 환경을 건강하게 유지하는 일은 평생 건강을 유지하는 데 필수적이다. 그런데 나이가 들수록 장내 유익균이 줄어들고 장내세균의 다양성도 떨어진다. 장내 유익균의 증식을 도와주는 살아있는 균을 프로바이오틱스probiotics라고 하고 주로 락토바실러스균과 비피더스균이 여기에 해당한다. 여기에 프로바이오틱스의 먹이가 되는 프락토올리고당이나 식이섬유 등을 프리바이오틱스prebiotics라고 한다. 프로바이오틱스와 프리바이오틱스를 합친 제품이 신바이오틱스synbiotics인데 이는 프로바이오틱스와 프리바이오틱스를 함께 복용하면 시너지synergy 효과가 난다고 해서 붙여진 이름이다. 우리의 전통음식인 김치가 바로 신바이오틱스로 우리 선조들은 옛부터 신바이오틱스를 섭취해왔다. 프로바이오틱스인 식물성 유산균과 프리바이오틱스인 배추의 결합체다. 그래서 프리바이오틱스인 배추만 먹는 것보단 신바이오틱스인 김치를 먹는 게 훨씬 시너지 효과가 있다.

5장

내 몸에 맞는
식사를 찾아라!

———— 어떤 식사법이 내 몸에 가장 잘 맞고 건강에 좋을까? 채식 다이어트, 저탄고지 다이어트, 구석기 다이어트, 저지방 다이어트, 지중해식 다이어트…. 30년 동안 비만치료를 해오면서 다양한 유행 다이어트들을 겪어봤다. 잠깐 유행했다 사라져버린 방법들이 있는가 하면 꾸준히 명맥을 유지하는 다이어트 방법도 있다. 다른 나라에서 유행하는 다이어트 방법이 있다고 해서 우리나라 사람에게 그대로 적용할 수는 없다. 오랫동안 밥을 주식으로 살아온 사람들과 육류섭취가 많은 서구 사람들은 체질도 다르고 식습관도 다르기 때문이다. 또한 젊은 사람들과 노인들의 몸은 호르몬 분비량, 효소의 작용, 소화기능 등 다방면에서 차이가 난다. 비슷한 나이의 사람이라도 정상체중이나 비만이냐, 당뇨 전 단계냐 이미 당뇨병으로 진행되었느냐에 따라 몸 상태가 완전히 다르다. 그럼에도 불구하고 저탄고지

가 마치 건강식의 대명사인 양 떠들거나 채식만을 고집해야 건강해진다고 주장하는 사람들을 보면 안타깝기 그지없다. 누구에게나 잘 맞는 완벽한 다이어트 방법은 없기 때문이리라.

평생 유지할 수 있는 내 몸에 맞는 식사법을 찾아라!

살을 빼겠다는 목적의 '체중감량 다이어트'와 더 건강해지기 위한 목적의 '건강 다이어트'는 공통된 부분이 많다고 해도 분명 다를 수밖에 없다. 미국 하버드대 연구팀이 3만 7,000여 명의 미국 성인들을 대상으로 조사해 본 결과 일반적 체중감량 다이어트인 저탄수화물 고단백 고지방 다이어트나 반대로 저지방 다이어트나 사망률을 낮추는 등의 건강에 긍정적인 효과는 없다는 사실이 밝혀졌다. 하지만 '건강한' 저탄수화물 다이어트, 다시 말해 혈당을 빠르게 높이는 '나쁜' 탄수화물을 제한하고 식물성단백질과 '좋은' 불포화지방을 많이 섭취하는 다이어트는 사망률을 9% 낮췄다. 마찬가지로 '좋은' 탄수화물과 식물성단백질을 많이 섭취하고, 포화지방을 줄이는 '건강한' 저지방 다이어트 역시 사망률을 11%나 낮췄다.[69]

결국 건강을 유지하고 오래 사는 식사법은 탄수화물을 줄이느냐 지방을 줄이느냐에 따른 것이 아니라 '좋은' 탄수화물, 식물성단백질, '좋은' 불포화지방을 얼마나 잘 챙겨 먹는지에 달렸다는 결론이다.

가장 좋은 식사법은 내 몸에 잘 맞으면서 평생 실천할 방법이어야 한다. 소식해야 장수한다고 하니 적게 먹어야 하는데 얼마나 적게 먹어야 할까, 배고픔을 참아가며 일부러 적게 먹어야 할까. 쉽지 않다. 단백질 섭취량은 그나마 사람마다 요구량 차이가 적지만 운동을 열심히 할수록, 나이가 들수록 더 챙겨 먹으려 노력하면 된다. 탄수화물과 지방은 건강에 유익한 좋은 탄수화물, 좋은 지방으로 부족하지 않게 챙겨 먹겠다고 생각하면 된다. 그리고 일주일에 하루나 이틀은 한 끼만 먹으면서 짧은 단식의 여유를 즐긴다. 이 방법이 그나마 많은 사람에게 보편적으로 적용할 수 있는 건강한 식습관이 아닐까.

우유는
건강식품일까?

우유는 동물성단백질이 농축된 식품이다. 우유를 마시면 인슐린, IGF-1, mTOR 등 성장을 촉진하는 스위치를 작동시킨다. 그래서 급격히 성장해야 하는 아기에게 모유 이외에 다른 음식은 필요 없다. 단백질과 칼슘이 풍부한 우유는 성장기 어린이에게도 도움이 된다. 그렇다면 어른이 되어서도 성장음료를 마셔야 할까? 그것도 같은 종도 아닌 다른 종의 젖을 말이다.

모유와 비교하면 우유에는 단백질이 3배 정도 더 많고(우유는 100㎖ 당 3.4g, 모유는 1.2g), 칼슘은 4배 정도 더 많다. 성인이 되어서도 성장인자의 자극을 계속 받으면 노화가 촉진된다고 말했다. 게다가 성인이 되면 우유 속 유당을 잘 소화하지 못하는데 특히 아시아인들

중에는 우유를 마시면 배가 꾸르륵거리고 가스가 차고 설사를 하는 유당불내증을 가지고 있는 사람들이 많다.

스웨덴 연구팀은 우유 섭취와 조기사망 간의 연관성 연구를 했다. 10만 명이 넘는 스웨덴 사람들을 대상으로 조사한 결과 매일 2.5컵 이상 우유를 마시는 사람들은 일주일에 1컵 이하를 마시는 사람과 비교해 사망위험이 32% 더 높았다. 성인이 하루에 3잔 이상 우유를 마시면 암 발생 위험이 증가할 수 있다는 연구결과도 있다. 인슐린, IGF-1, mTOR 같은 성장인자가 암 성장도 자극하기 때문이다.

그런데 그 스웨덴 연구에서 특이한 것은 같은 동물성단백질인데도 발효유 제품의 경우에는 많이 먹을수록 사망률이 낮았다는 점이다. 유산균이 장내 유익균에 이롭게 작용하기 때문일까? 아니면 유당, 특히 갈락토스가 성인에게 불리하게 작용해서일까? 어쨌든 청소년 성장기에는 우유를 마시는 게 도움이 되지만 나이가 들면 우유보다는 요거트나 치즈를 먹는 것이 건강에 더 도움이 될 것이라는 게 내 생각이다.

Part 7

건강하게
오래 살기 위한
생활습관법

Hormesis
Intermittent
Fasting

1장

운동

—————— 근육량은 40세 이후부터 해마다 약 0.8%씩 줄어들고, 60세 이후는 1%, 70세 이후는 1.5%씩 줄어든다. 백세까지 살아야 하는 우리들은 80세 이후 삶의 질을 위해 남은 여생에서 가장 젊은 지금 당장 운동을 시작해야만 한다.

운동으로 지금의 근육량을 유지할 수 있고, 더 늘릴 수도 있고 근력도 좋아진다. 그뿐만 아니라 약해지는 골밀도 시기를 늦춰주기 때문에 뼈 건강에도 도움이 된다. 유연성, 평형성, 민첩성 등이 좋아지니 나이 들어서 낙상할 위험이 훨씬 줄어든다. 신진대사도 왕성해져 뇌 건강에 좋고 당뇨병과도 멀어지고 만성스트레스와 우울증을 치료하기도 한다. 무엇보다 써카디안 리듬을 회복시켜 숙면을 취할 수 있게 만들고 각종 호르몬의 분비와 작동능력을 개선해주기도 한다. 항노화에 운동보다 더 좋은 명약이 또 있을까!

운동은 항노화
최고의 명약

앞에서도 다루었지만 뱃살을 빼고 노화를 늦추려면 운동자극이 반드시 들어가야 한다. 이제까지 운동은 에너지섭취량 대비 소비량을 더 늘리는 에너지밸런스 개념에서 접근했다. 하지만 에너지밸런스로만 본다면 운동보다 운동하지 않는 나머지 시간에 얼마나 더 움직이는가가 훨씬 더 중요하다. 1시간 운동하고 하루종일 앉아있는 것보다는 굳이 헬스클럽에 가지 않아도 앉아있는 시간을 줄이고 많이 걷고 움직이는 것이 에너지소비량을 늘리는 데 더 효과적이라는 뜻이다. 그렇다면 운동 대신 그저 많이 걷고 움직이기만 하면 될까? 그렇지 않다. 운동이 주는 긍정적인 효과는 단순히 칼로리 소모량을 늘려주는 효과 그 이상이다.

운동자극을 규칙적으로 주면 내 몸이 바뀐다. 우선 운동할 때 당보다는 지방을 더 잘 쓰는 몸이 된다. 그리고 운동하지 않는 시간에도 지방을 에너지원으로 잘 사용한다. 앞서 언급한 '대사유연성'이 좋아지는 것으로 더 쉽게 말해 '지방을 잘 쓰는 몸'으로 바뀐다. 근육 사이사이 끼어있던 근내지방이 빠지고 골격근이 인슐린의 신호를 더 잘 받아들인다. 따라서 인슐린저항성이 좋아진다. 근육 내 포도당저장 창고가 더 커지고 미토콘드리아 수가 더 많아진다. 이 효과는 간헐적 단식을 병행할 때 더 두드러진다.

심폐지구력도 좋아지는데 심장과 폐가 젊어진다는 의미다. 혈압,

혈당, 콜레스테롤, 중성지방에도 긍정적인 효과를 보여준다. 당뇨병, 심장병, 중풍, 치매 등으로 이어지는 노화 합병증을 예방해주니 이보다 더 좋은 항노화처방이 있을까 싶다. 그런데 운동의 이러한 효과 이외에도 운동을 가능하게 만드는 골격근의 영향력 또한 무시하지 못한다.

골격근은 운동을 하거나 몸을 움직일 때 사용되는 기관으로 운동할 때 사용하는 골격근은 체중의 약 40%를 차지하고 체내 단백질의 50~75%가 골격근에 들어있다. 그런데 최근 골격근이 학자들에게 재조명되고 있다. 각종 호르몬이나 사이토카인cytokine을 분비해 면역계에 관여하고, 간, 지방조직과 함께 유기적으로 협조하면서 신진대사를 조절하는 등 다양한 기능을 한다는 것이다. 그뿐만 아니라 아미노산과 글리코겐의 저장창고 역할도 하고 열생산으로 체온도 유지해준다. 마치 과거 에너지 저장창고 역할만 하는 줄 알았던 지방조직이 호르몬이나 사이토카인을 분비하는 호르몬기관으로 승격(?)되었던 것을 다시 보는 듯하다.

골격근에서 분비되는 FGF21fibroblast growth factor 21은 지방조직에서 지방분해를 자극하고 간에서는 지방산 연소를 촉진한다. 이리신irisin은 당대사와 열생산에 관여하면서 신진대사를 조절한다. 이리신은 백색지방세포를 갈색지방세포로 전환해 열생산을 증가시키는데 운동강도를 높일수록 그 분비량이 늘어난다. 고강도 인터벌운동이 더 효과적인 또 다른 이유다.

지방세포adipocyte에서 분비되는 사이토카인을 아디포카인adipokine

이라고 하듯 골격근에서 분비되는 사이토카인을 마이오카인myokine
이라고 한다. 운동자극을 줄 때 마이오카인의 분비가 증가하게 되고
결국 운동으로 인한 에너지소모량 증가뿐 아니라 지방산 연소 촉진,
열생산증가, 인슐린저항성 개선, 염증완화 등의 운동효과가 마이오카
인에 의해 배가되는 것이다.

　또한 운동을 해야 하는 이유로 대사유연성을 빼놓을 수 없다. 대사
유연성이 좋은 몸은 여분의 에너지를 지방창고에 잘 비축하고 갑자
기 많은 양의 에너지가 필요할 때 빠르게 끄집어 쓸 수 있게끔 에너
지를 효율적으로 잘 사용한다. 그런데 현대인들은 인류 역사상 유례
없는 음식의 과잉섭취, 칼로리밀도가 높은 음식들을 지속해서 섭취
하는 상황을 맞고 있다. 앞서 쉴새 없이 음식이 들어오다 보니 대사
유연성이 떨어졌다고 언급했다. 여기에 덧붙여 운동자극과 신체활동
량도 크게 줄어든 것도 대사유연성이 떨어지게 된 또 하나의 이유다.
대사유연성이 떨어지면 비만, 당뇨병, 노화로 이어지게 된다. 간헐적
단식이 대사유연성을 개선시키듯 운동 역시 대사유연성을 개선시킨
다. 대사유연성이 떨어지면 간과 근육에 지방이 축적되고 이것은 대
사유연성을 망가뜨리는 악순환을 일으킨다. 규칙적으로 운동을 실천
해야 하는 가장 큰 이유는 대사유연성을 예전의 건강한 수준으로 회
복해야 하기 때문이다.

운동, 언제
어느 정도 해야 좋을까

건강을 유지하기 위해 전문가들이 권하는 운동 처방은 중간 강도의 운동은 일주일에 150분, 고강도 운동은 일주일에 75분이다. 중간 강도의 운동을 원한다면 일주일에 5일, 30분간 운동하면 된다. 하지만 내 생각은 이와 조금 다르다. 이제까지 신체활동량을 늘리는 방법으로 늘 운동만 강조해왔다. 하루에 몇 분 운동을 하는가, 일주일에 몇 번 운동하는가를 물어 운동량이 많다 혹은 적다고 판정했다. 하지만 수면시간을 제외한 나머지 16시간 중 운동을 하지 않는 15시간 동안의 신체활동에는 관심이 별로 없다. 매일 1시간씩 헬스클럽에 가서 운동해도 나머지 시간에 움직임이 거의 없이 책상에 오래 앉아 있으면 운동 효과는 상쇄되고 만다. 부득이 오래 앉아서 일해야 하는 상황이라면 적어도 30분에서 1시간마다 일부러 자리에서 일어나서 가볍게 몸을 움직여주어야 한다. 허벅지와 종아리 근육을 사용해 하체에 체류되어 있는 혈액을 심장으로 돌려주어야 하기 때문이다.

박용우가 권하는 운동은 고강도 인터벌운동으로 어차피 운동하겠다고 마음먹었다면 숨차고 힘들게 하자는 말이다. 대신 하루에 15분에서 20분이면 충분하다. 만약 당신이 1시간을 운동에 투자하겠다고 마음 먹었다면 고강도 인터벌운동으로 20분 동안 운동을 하고 나머지 시간에는 근력운동을 하면 된다. 유산소운동은 평소 의식적으로 많이 걷기 위해 애쓰고, 걷는 속도는 조금 빠른 정도로 걷는 것만으로도 충분하다.

고강도 인터벌운동은 48시간 이내에 반복해야 운동 효과가 나타난다. 일주일에 4~5일을 해야 하는 이유다. 짧은 운동시간이지만 운동 효과는 18시간 이상 지속된다. 특히 인슐린저항성이 있는 사람들은 고강도 인터벌운동을 해야 근육내지방이 줄어들고 근육에서의 인슐린 작동능력이 향상된다.

아침에 일어나자마자 근육운동을 하면 근육의 생체시계가 충분히 활동할 준비를 미처 하지 못하기 때문에 스트레칭이나 가벼운 유산소운동을 하면서 근육이 충분히 깰 때까지 기다린 뒤 고강도 인터벌운동이나 근력운동에 들어가는 것이 좋다. 아침에 밖에 나가 햇빛을 받으며 빠르게 걷는 운동을 하면 뇌의 생체시계를 활동모드로 빠르게 바꾸는 데 도움이 된다. 그래서 헬스클럽에 가서 운동을 할 때도 햇빛이 들어오는 창가에서 운동하기를 권장한다.

그렇다면 써카디안 리듬에 맞춰 낮에 운동하면 어떨까? 낮 동안에 신체활동량이 많을수록 밤에 잠도 빨리 들 수 있고 꿀잠을 자는 숙면을 취하기 쉽다. 밤에 운동하는 것보다 낮에 운동하는 건 써카디안 리듬에 맞추자는 의미인데 캠핑이나 놀이기구를 타는 등 그다지 많이 걷지 않아도 햇볕을 많이 쬔 날은 그렇지 않은 날보다 숙면에 더 도움이 되는 것은 그런 이유다.

운동을 하면 근육에서 이리신irisin 호르몬이 분비된다. 근육량이 적으면 이리신이 감소하는데 이것은 수면무호흡증과도 관련이 있다. 최근 연구에서는 이리신이 알츠하이머병을 예방하는 효과도 있다고 알려졌다. 운동을 하면 체지방이 줄고 신진대사가 좋아지지만 그 자체로도 수면무호흡증을 개선하고 치매예방 효과까지 볼 수 있는 것이다.

낮에 한 운동으로 근육에서 이리신이 분비되면 밤에 숙면할 수 있도록 도움을 주는 것도 근육의 생체시계가 수면에 영향을 준다고 할 수 있다. 뇌의 생체시계가 빛의 자극으로 밤낮을 구분하듯이 근육의 생체시계는 근육활동으로 밤낮을 구분한다. 여기에 식사가 들어오는가 단식 중인가에 따라 포도당과 지방산을 적절히 사용하면서 써카디안 리듬을 유지한다. 근육량을 적당히 유지하는 것이 건강에 중요한 또 하나의 이유다.

근력 운동하기 좋은 시간은 오후 3시부터 저녁 식사 전까지다. 강도 높은 운동을 끝낸 후 단백질이 풍부한 저녁 식사를 하면 근육생성에 더욱 효과적일뿐더러 밤에 잠도 잘 오고 자는 동안 근육회복도 잘 된다. 낮에 하는 운동은 식욕을 살짝 억제하는 효과도 있어 저녁 식사 때의 과식을 피하는 데에도 도움을 준다.[70]

운동을 하면 인슐린 도움 없이도 근육이 포도당을 에너지원으로 사용할 수 있다. 인슐린의 생성과 분비능력은 오후로 갈수록 점차 줄어들기 때문에 늦은 오후에 운동을 하거나 신체활동량을 늘리면 혈당을 안정적으로 유지하는 데 아주 도움이 된다. 그렇다면 운동 때문에 12시간의 공복을 지키지 못하는 상황이라면 운동을 포기해야 할까, 12시간 공복을 포기해야 할까.

예컨대 직장인이라면 아침에는 바쁘게 출근 준비를 해야 해서 운동할 겨를이 없고 업무는 저녁 6시 넘어 끝난다. 퇴근 후 한두 시간 운동하고 집에 오면 저녁 식사는 8시 넘어 해야 한다. 만약 운동으로 인해 12시간 공복을 11시간밖에 지키지 못한다면 결론적으로 운동을 먼저 하는 것이 맞다. 운동으로 인해 '공복 12시간'에서 1시간을 지키지 못한다 해도 운동으로 인한 이득이 이를 상쇄하게 만들기 충분하기 때문이다.

저녁 식사를 하고 나서 운동하는 것은 어떨까. 이것 역시 운동을 하지 않는 것보단 운동을 하는 쪽이 훨씬 더 낫다. 앞서 연속혈당측정기 실험에서 보았듯 저녁 식사로 먹은 밥의 영향으로 올라간 혈당은 낮에 비해 쉽게 떨어지지 않았다. 그래서 저녁 식사 후 빠르게 걷기나 계단오르기 같은 운동을 하면 인슐린 도움 없이도 근육이 포도당을 사용하기 때문에 혈당 조절에 아주 좋다. 굳이 운동이 아니라 가벼운 산책만 해도 혈당이 빠르게 올라가지 않는다. 가벼운 걷기는 소화에도 도움이 되고 기분도 좋게 만든다.

저녁 식사 후 과격한 운동은 교감신경이 항진되고 체온과 맥박이 올라가기 때문에 숙면에 오히려 방해되지만 지나치게 과격한 운동이 아니라면 숙면에 크게 영향을 주지는 않는다. 밝은 불빛은 멜라토닌 분비를 억제해 수면시간을 뒤로 늦출 수 있기 때문에 저녁 식사 이후에 운동하려면 너무 밝은 조명보다는 은은한 조명 아래에서 하는 것이 좋다.

근육을 지키는 고강도 인터벌운동과
간헐적 단식의 조우

14시간 공복을 유지하는 건 건강에 무리가 없다고 말했었다. 하지만 16시간 공복을 유지하고 8시간 동안 먹는 시간제한 다이어트는 근육손실 우려가 있다. 그런데 단백질을 충분히 챙겨 먹으면서 근력운동을 병행하면 어떨까. 5년 이상 근력운동을 꾸준히 해온 34명의 남성을 대상으로 8시간의 시간제한 다이어트(오후 1시, 4시, 8시 식사) 그룹과 정상 식사(오전 8시, 오후 1시, 8시) 그룹으로 나누어 8주 후 시간제한 다이어트의 효과를 비교해 보았다.[71]

두 그룹 모두 체지방이 빠지고 근육량은 늘었다. 8시간만 먹어도 단백질 섭취량이 부족하지 않으면 근육손실이 일어나지 않았다. 혈액검사 결과에서는 시간제한 다이어트 그룹이 건강에 더 도움이 되는 것으로 나타났다. 혈당과 인슐린 수치, 그리고 인슐린저항성은 시간제한 다이어트 그룹에서 의미 있게 좋아졌다. 만성염증 여부를 보는 지표(TNF-α, IL-1β)도 정상 식사 그룹보다 의미 있게 좋아졌고, 호흡률respiratory ratio, RQ이 감소했다. 호흡률이 감소했다는 말은 몸의 신진대사가 지방을 보다 효율적으로 쓰는 몸으로 바뀌었다는 의미다. 물론 연구대상자들은 꾸준히 운동해온 건강한 젊은 남성들이다. 그렇기에 8시간 시간제한 다이어트를 근력운동을 병행하지 않고 실천할 경우 득보다 실이 더 많을 수 있어 주의가 필요하다. 그렇다면 단식과 함께할 수 있는, 근육을 지키고 키우는 효과적인 운동 방법은 무엇일까?

　1996년 일본 운동생리학 연구자 이즈미 타바타 Izumi Tabata는 연구 대상자들을 두 그룹으로 나누어 운동강도를 달리해 6주간의 운동효과를 비교해 보았다. 대조군은 중간 강도의 운동을 60분씩 주 5회 시행했다. 실험군은 총 운동 시간 4분으로 고강도 인터벌운동을 20/10 세션, 즉 20초간 전력으로 뛰게 하고 10초 휴식 후 다시 20초간 전력으로 뛰는 방식을 8번 반복했다.

　결과는 놀라웠다. 대조군은 18,000분(30시간), 실험군은 120분(2시간) 운동했음에도 불구하고 대조군의 최대산소섭취량 VO2max의 증가폭보다 실험군의 증가폭이 더 컸다. 고강도 인터벌운동이 심폐지구력을 높여주는 효과가 더 큰 데다 시간 대비 효율도 훨씬 높았다. 근력운동을 할 때 작은 생수병을 100번 드는 것보단 10kg 덤벨을 15회 드는 게 훨씬 효과적인 것과 비슷한 이치다. 고강도 인터벌운동은 원시 인류의 생활과 비슷하다. 평소 대부분 시간을 낮은 강도로 활동하다 이따금 사냥할 때나 사나운 맹수에게 쫓길 때만 전력으로 뛴다. 결국 고강도 인터벌운동은 시간을 덜 들이고 관절도 보호하면서 대사속도를 더 효과적으로 유지할 방법이다.

　고강도 인터벌운동의 효과는 근력운동과 병행하면 훨씬 커진다. 운동강도가 증가하면서 근육 내 글리코겐 연소, 인슐린민감성 개선, 교감신경계 자극 등 긍정적인 효과가 배가된다.

　단식과 마찬가지로 운동 역시 미토콘드리아의 합성을 자극하고 기능을 개선한다. AMPK 회로에 의한 흐름 역시 단식할 때와 동일하다. 고강도 인터벌운동은 미토콘드리아의 활성을 젊은 사람들에게는 50%, 나이 든 사람들에게는 무려 70%까지 증가시킨다. 그렇기 때문에 나이가 들면서 생기는 근감소증을 예방하는 가장 좋은 방법은 고강도 인터벌운동과 근력운동을 병행하는 것이다.

물론 근육량을 늘리는 운동의 효과를 보려면 평소 잘 먹어야 한다. 특히 탄수화물과 단백질을 고루 잘 챙겨 먹어야 한다. 그렇다면 다이어트로 체지방은 빼고 근육은 더 늘릴 방법이 있을까? 그 해답 역시 간헐적 단식에 있다.

잘 챙겨 먹는 날에는 근육운동에 집중한다. 운동 직후의 근육은 비어있는 글리코겐 창고를 채우고 근육단백 합성을 위해 영양소들을 근육 안으로 끌고 들어오려는 경향을 더 강하게 보인다. 내가 먹은 음식의 칼로리들이 지방으로 축적되기보다 근육회복과 근육합성에 먼저 사용되는 것이다. 우리 몸이 저장보다는 회복에 더 우선권을 두기 때문이다. 그리고 단식하는 날에는 고강도 인터벌운동으로 지방 연소를 극대화한다. 이렇듯 음식 섭취와 운동의 타이밍을 잘 맞춘다면 선택적으로 체지방은 빼고 근육은 늘일 수 있다. 적어도 근육 손실은 최소화할 수 있다는 이야기다.

앉아있지 말고 일어서라!

무중력 상태로 우주공간에서 장기간 머문 우주인들의 근육은 80세 노인 수준으로 쇠약해진다. 미국 연구팀이 우주정거장에서 6개월간 체류한 미국과 러시아 우주인 9명으로부터 우주정거장 체류 전과 후에 떼어낸 근육세포를 생검 방식으로 비교한 결과 장딴지 세포의 경우에는 우주인들의 근육활동 능력이 40% 감소한 것으로 나타났다. 30대부터 40대 나이의 우주인들 근육이 평균적인 80대 노인 수준으로 퇴화한 것이다. 그들은 우주정거장에 구비된 2대의 실내 달리기 기구와 자전거로 정기적으로 운동을 했음에도 이런 결과가 나왔다.[72]

지구에서 활동하는 우리는 모두 중력의 영향을 받는다. 그래서 가만히 서있기만 해도 그 자체로 중력의 저항을 이겨내는 운동을 하는 셈이다. 중력의 영향이 없는 우주정거장에서 생활하면 근육은 빠르게 위축된다. 특히 하체근육과 척추근육의 약화가 두드러진다.[73] 근육 뿐 아니라 골밀도의 감소도 심해진다. 그렇다면 의자에 앉아있을 때는 어떨까.

우리가 앉아있는 걸 생각해 보면 궁둥이, 허벅지, 장딴지 근육에 힘이 쭉 빠져있다. 무엇보다 허리를 받쳐주는 기립근과 하체근육이 중력에 저항하려는 힘이 반감된다. 그래서 앉아있는 시간이 길어질수록 근육위축은 더 빨리 진행될 수밖에 없다. 그렇다면 '1시간 운동하고 나머지 시간은 앉아있다'와 '운동은 하지 않지만 앉아있는 시간을 줄인다' 어느 쪽이 건강에 더 유리할까.

재미있는 연구결과를 소개해 보겠다. 정상체중, 과체중, 당뇨환자들을 대상으로 나흘 동안 하루 14시간 동안 앉아있게 한 그룹, 1시간 사이클 운동을 시키고 나머지 13시간을 앉아있게 한 그룹, 운동은 하지 않지만 2~4시간 걷고 2~3시간 서있게 만들어 의도적으로 앉아있는 시간을 줄인 그룹, 이렇게 세 그룹으로 나누어 실험한 결과를 보니 확실히 운동그룹이 다른 그룹과 비교해 혈관 기능이 개선되었다. 그런데 인슐린저항성, 혈당, 콜레스테롤의 변화는 의도적으로 앉아있는 시간을 줄인 그룹이 다른 그룹과 비교해 개선 효과가 더 있었고 1시간 운동한 그룹은 14시간 앉아있는 그룹과 유의한 차이가 없었다. 결국 매일 1시간씩 운동을 한다 해도 꼼짝하지 않고 앉아있는 시간이 길면 운동의 효과가 상쇄될 수 있다는 의미다.[74] 취침 시간 8시간을 제외하고 하루 30분~1시간 운동을 한다면 운동하지 않는 나머지 15~15.5시간의 신체활동량이 더 중요할 수 있다는 뜻이다.

영국 런던 버스근로자 남성 3만여 명을 대상으로 협심증과 심근경색 같은 심혈관질환 발병률을 조사해 보니 앉아서 일하는 버스운전기사가 서서 일하는 차장과 비교해 1.5배나 더 높았다.[75] 버스라는 좁은 공간에서 운전기사는 계속 앉아있어야 했고 차장은 계속 서있어야 했는데 이 차이만으로도 심혈관질환 발병위험에서 차이가 난다. 운동하는가 하지 않는가 못지않게 꼼짝 않고 앉아있는 시간이 긴 것도 심혈관질환의 독립적인 위험인자가 된다.

그렇다면 앉아있는 습관이 왜 나쁜 것일까. 올라간 혈당을 떨어뜨리지 못하게 만들기 때문이다. 예전에는 조금씩 자주 먹는 것이 건강에 유익하다고 했지만 이제는 음식 섭취 빈도를 줄이는 게 더 낫다는 주장이 설득력 있게 다가온다. 예전과 비교해 꼼짝하지 않고 앉아있는 시간이 너무 많아졌기 때문이다. 음식을 먹는데 움직임이 없으면 올라간 혈당이 쉽게 떨어지지 않는다. 그래서 당뇨병이 없다 해도 식

　　　　　　　　7부　건강하게 오래 살기 위한 생활습관법

후혈당이 높은 수준을 계속 유지하면 그 자체로도 심혈관질환 합병증이 생길 수 있다.[76]

식후고혈당을 가급적 최소화하는 것이 심혈관 합병증 위험을 줄이는 방법이다. 식후 가볍게 움직이는 활동만으로도 식후 고혈당을 예방할 수 있다. 중년 여성들에게 식후 15~40분 가볍게 걷는 것만으로도 가만히 앉아있는 것과 비교해 식후 혈당이 빠르게 올라가는 것을 줄일 수 있었다.[77] 비만인 성인들을 대상으로 식후에 20분마다 일어나서 2분 정도 걷게 한 것만으로도 식후 꼼짝하지 않고 앉아있는 사람들과 비교해 혈당 수치와 인슐린 분비량이 23~30% 낮게 나타났다.[78]

앞서 운동도 중요하지만 더 중요한 건 운동하지 않는 나머지 시간의 활동량이라 이야기했다. 의식적으로 앉아있는 시간을 줄여야 하고 틈나는 대로 걸어야 한다. 앞서 연속혈당측정기의 경험에서 언급했듯 식사 후 밖에 나가 걷는 것만으로도 혈당이 빠르게 올라가는 걸 막을 수 있었다.

건강한 사람들은 식사를 시작한 시점에서 약 1시간 후 혈당이 최고점에 도달한다. 식사를 시작한 시점에서 30~40분 후에 밖에 나가 20~30분 정도 걷는 습관을 들이는 건 혈당을 안정적으로 유지하고 식후 고혈당으로 인한 당화반응을 예방하여 노화를 늦추고 건강하게 장수하는 비결이라는 것이 내 생각이다.

자가용이나 택시를 이용하기보다는 BMW를 활용해 보는 것이 좋을 것이다. Bus(버스), Metro(지하철), Walking(걷기)을 생활화해 보

자. 지하철을 기다릴 때도 플랫폼 끝에서 끝까지 걷고, 버스 안에서는 앉지 말고 일부러 서서 허벅지와 궁둥이 근육에 힘을 줘본다. 근육에 지속적인 자극이 들어와야 근육량 손실을 피할 수 있다.

2장

건강수면법

———— 써카디안 리듬에서는 수면이 아주 중요하다. 빛이 없는 밤에는 음식이 들어오지 않는 것뿐 아니라 숙면을 취해 주어야 건강이 유지된다. 음식 섭취와 신체활동 못지않게 중요한 요인이 바로 충분한 수면이다.

써카디안 리듬과 수면

써카디안 리듬에 우리 몸을 맞추려면 뇌의 생체시계가 밤으로 인식하고 있을 때는 음식이 들어와서는 안 될 뿐 아니라 수면모드로 빠르게 전환되어야 한다. 써카디안 리듬의 시작은 아침에 눈을 뜨고 일어날 때가 아니라 다음 날을 준비하기 위해 수면을 취하는 밤부터다. 우리 몸은 매일 스트레스와 맞서 싸워야 하고 면역세포는 긴장의 끈을 늦추지 않고 패트롤시스템을 가동해야 한다. 밤에 수면을 취하는 동안 손상된 세포를 복구하고 부족한 것들을 채워 넣어야 한다. 운동으로 손상된 근육도 밤 시간에 회복시켜야 한다.

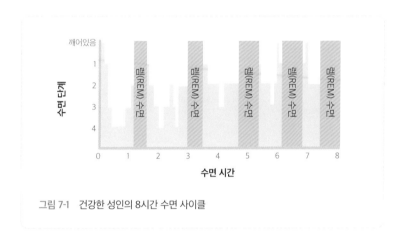

그림 7-1 건강한 성인의 8시간 수면 사이클

수면 사이클은 렘rapid eye movement, REM수면과 비렘수면으로 나뉘고 비렘수면에는 얕은 수면과 깊은수면이 있다. 잠이 들면 처음에는 얕은 수면으로 시작한다. 이때는 외부의 자극으로 쉽게 잠에서 깰 수 있다. 그러다 점차 잠에 빠져들면 혈압과 맥박이 떨어지기 시작한다. 깊은수면으로 들어가면 외부의 자극에 쉽게 깨지 못한다. 뇌로 들어오는 혈류량이 줄어들고 이때 뇌에서 낮 동안에 쌓인 노폐물을 제거하는 글림프시스템이 열리면서 청소가 이루어진다. 깊은수면 상태에서는 성장 호르몬이 분비되고 근육성장이 일어나며 손상된 세포가 수리, 복구된다. 깊은수면에서 렘수면으로 올라올 때는 꿈을 꾸면서 몸도 꿈에서처럼 움직이면 침대에서 떨어지거나 사고를 유발할 수 있기 때문에 근육을 움직일 수 없게 만든다.

렘수면은 눈동자가 빠르게 움직여 붙여진 이름으로, 뇌의 활동량이 다시 증가하고 혈압과 맥박이 다시 올라가고 이때 꿈을 꾼다. 렘수면에서 기억을 저장하고 전반적인 인지능력을 향상한다. 이렇게 한 사이클이 90~120분 걸려 끝나며 이러한 사이클은 4~5회 반복된다. 그래서 건강을 위해서는 적어도 7시간 이상 수면을 취해야 하며 첫 4시간이 중요하다. 이때 숙면을 취해야 건강을 지킬 수 있는데 첫 4시간만 숙면을 취해도 수면부족의 '빚'을 메꾸기 위해 주말에 잠을 보충할 필요가 없다. 첫 4시간 이후의 나머지 3시간은 수리와 복구를 위해 주어진 시간으로, 잠이 들고 4시간 이후에 잠에서 깨면 다시 잠들기 어려운 이유다.

보통 밤에 못 잔만큼 낮잠으로 메꾸려 하는 경우가 많은데 간혹

체크!

글림프 시스템 (glymphatic system)

2013년 미국 로체스터대학 마이켄 네더가드 Maiken Nedergaard 박사는 뇌에서 노폐물을 배출하는 시스템을 발견했다. 뇌에 쌓인 노폐물이 충분히 제거되지 않으면 알츠하이머병이나 파킨슨병을 비롯한 퇴행성뇌질환이 생길 수 있다. 뇌를 구성하는 세포들은 깊은수면상태에서 약간 수축하며 이때 노폐물을 뇌 밖으로 빠져나가게 한다. 이 반응은 특히 깊은수면상태일 때 가장 활발하게 작동한다.

낮잠이 길어지면 밤에 잠들기 어렵기 때문에 오히려 써카디안 리듬에 맞지 않는다. 낮잠을 잔다면 30분을 넘기지 말아야 한다.

수면시간과 건강

미국에서는 성인의 약 30% 이상이 불면증을 호소하고, 25명 중 1명은 의사에게 수면제를 처방받아 복용한다. 수면장애는 매년 약 160억 달러의 의료비용을 차지하고, 근무일 수 감소 및 생산성 저하 등으로 인한 간접비용까지 더해진다.

잠이 부족하면 집중력이 떨어지고 예민해지며 머릿속에 안개가 낀 것처럼 멍해진다. 시도 때도 없이 졸리고 쉽게 피로해진다. 하루 7시간 잠을 자야 하는 내 몸이 부득이 하루 6시간밖에 잘 수 없는 상황에 처해진다면 매일 1시간의 수면 '빚'이 생긴다. 이 빚이 쌓이면 충분한 수면과 휴식을 취할 수 없기 때문에 비만, 당뇨병, 알츠하이머병 등 각종 질병에 걸릴 위험이 커진다. 그렇다면 수면시간은 수명에도 영향을 미칠까? 한 연구결과를 살펴보면 수면시간과 수명은 U 커브를 그리는데 7~8시간의 수면 시간이 건강에 최적인 시간이라고 한다. 너무 적게 자도, 너무 많이 자도 수명이 짧아진다.[79] 수면시간과 체중과의 관계도 U 커브를 그리는데 하루 7~8시간 자는 사람들의 체질량지수가 가장 낮았고 6시간 미만 혹은 9시간 이상 잘수록 체질량지수가 증가했다.[80]

하루 6시간 미만으로 잠을 자면 단순히 수명만 단축되는 것이 아

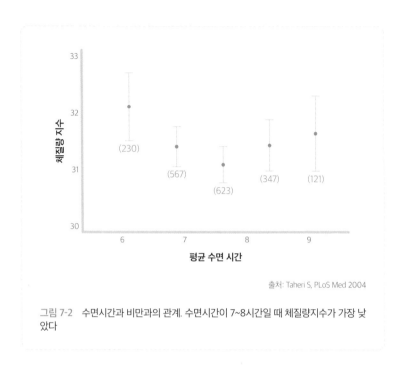

출처: Taheri S, PLoS Med 2004

그림 7-2   수면시간과 비만과의 관계. 수면시간이 7~8시간일 때 체질량지수가 가장 낮았다

니다. 면역시스템의 회복이 제대로 되지 않아 면역력이 떨어진다. 비만, 당뇨병, 심혈관질환, 암, 알츠하이머병, 우울증 위험이 증가한다. 알츠하이머병 환자의 수면 상태를 보면 깊은수면이 심하게 교란되어 있다. 일반적으로 나이가 들수록 수면시간이 짧아지고 특히 깊은수면 시간이 줄어드는데 이는 기억력이 감퇴하는 이유이기도 하다. 심지어 알츠하이머병 환자들은 그 증상이 생기기 수년 전부터 깊은수면이 짧아지는 현상이 먼저 나타난다. 깊은 수면 시간이 짧아지는 것이 알츠하이머병의 조기 경보 신호인지 악화시키는 요인인지는 분명하지 않지만 나이가 들어 치매에 걸리지 않으려면 평소 수면 시간도

충분히 확보해야 하고, 특히 깊은 수면 시간을 잘 유지해 수면의 질에도 신경을 써야 한다.

수면부족은 식욕조절 호르몬에 직접 영향을 준다. 식욕억제 호르몬인 렙틴 역시 써카디안 리듬을 따르는데 낮에는 그 분비량을 낮춰 3~4시간마다 배고프게 만들지만 밤에는 분비량을 늘려 배고프지 않게 만든다. 그런데 수면 부족으로 써카디안 리듬에 교란이 생기면 밤에도 배고픔을 느끼게 만든다. 야식을 먹는 건 습관이기도 하지만 써카디안 리듬이 깨져 나타나는 증상일 수도 있다.

건강한 수면을 위한 팁

앞서 말했듯이 건강한 수면은 여러 이점이 있다. 이러한 건강한 수면을 위한 방법에는 어떠한 것들이 있을까. 첫 번째, 규칙적인 시간에 자고 일어난다. 내 생활습관에 맞게 잠자리에 드는 시간과 일어나는 시간을 최대한 일정하게 유지하도록 노력한다. 생체시계를 나의 써카디안 리듬에 최대한 맞추는 것이다. 특히 주말에 늦잠을 자는 경우가 많은데 주중에 생긴 수면 '빚'을 주말에 해결하는 것이 좋을 수는 있지만 토요일에 늦게 자고 늦게 일어나면 일요일 밤에 잠들기 어려울 수 있고 다음 일주일간의 수면 리듬도 깨질 수 있으므로 주말에도 잠자리에 드는 시간과 아침에 일어나는 시간 차이는 평일과 비교해 2시간을 넘지 않는 것이 좋다.

두 번째, 햇빛을 활용한다. 아침에 자명종 소리에 깨서 눈을 떴을 때 수면시간이 조금 부족하다고 생각되면 밖에 나가 20분 정도 햇볕을 쬐는 것이 도움이 될 수 있다. 잠자리에 누웠을 때 쉽게 잠들지 못한다면 낮에 20분 정도 햇볕을 쬐는 것도 도움이 된다. 낮 동안 햇빛을 많이 받으면 세로토닌 생성이 늘어나고 이것이 밤에 멜라토닌 분비를 늘려줘 푹 잠들 수 있도록 도움을 준다.

세 번째, 수면을 방해하는 카페인과 술을 멀리한다. 카페인, 술, 담배는 모두 수면을 방해하는 대표적인 물질이다. 술은 저녁 식사와 함께 곁들이는 와인 한두 잔 정도여야 한다. 그 이상이라면 렘수면과 깊은 수면 시간을 줄이고 수면 중간에 자주 깨게 만든다. 커피 역시 오후 1시 이후에는 마시지 말아야 한다. 디카페인 커피도 카페인이 들어있으므로 카페인에 민감한 사람은 피해야 한다.

네 번째, 침실 환경을 바꾼다. 침실은 잠을 자기 위한 공간으로만 활용해야 한다. 약간 선선한 실내온도를 유지하고 최대한 어둡게 만들어야 한다. 창문은 두꺼운 커튼을 쳐서 햇빛과 외부의 불빛을 차단해야 한다. 침대는 오로지 수면만을 위해 사용해야 한다.

다섯 번째, 잠들기 1시간 전부터는 블루라이트를 차단한다. 텔레비전, 컴퓨터 모니터, 태블릿, 스마트폰의 불빛은 잠자리에 들기 1시간 전부터 눈의 망막으로 들어오지 않아야 한다. 블루라이트는 뇌의 멜라토닌 생성을 멈추라는 메시지를 보내기 때문이다.

여섯 번째, 낮잠을 잘 활용한다. 수면시간이 부족해 낮에 졸음이 쏟아질 때는 짧은 낮잠이 도움이 될 수 있다. 다만 오후 2시 이전이라면 20분 정도가 적당하고, 30분을 넘겨서는 안 된다. 저녁 식사 후 티브이를 보면서 깜빡 조는 경우가 있는데 이것도 낮잠에 해당한다. 오후 늦게 낮잠을 자면 숙면을 방해하기 때문에 불면증이 있다면 아예 낮잠을 자지 않는 것이 더 좋다.

일곱 번째, 위장을 편안하게 만든다. 저녁 시간에 과식해서 속이 더부룩하면 숙면에 방해가 되기 때문에 저녁 식사는 적어도 취침 3시간 전에 끝내야 한다. 배가 너무 고파도 잠이 오지 않는데 이럴 때는 무첨가 요거트, 오이나 당근 같은 가벼운 간식을 조금 먹는 것이 숙면에 도움을 준다.

여덟 번째, 부교감신경을 활성화한다. 스트레스를 받으면 교감신경이 항진된다. 지속적인 스트레스 상황에서는 교감신경의 과항진 소견이 나타나고 밤에 숙면이 되지 않는 부작용이 생긴다. 교감신경과 부교감신경의 밸런스를 유지하기 위해서는 스트레스가 만성이 되지 않도록 그때그때 해결해야 하지만 아울러 부교감신경을 활성화하는 자극도 함께 주어야 한다. 명상하거나 가벼운 음악감상으로 마음을 달랜다. 미지근한 물로 샤워를 하거나 가볍게 스트레칭을 하면 숙면에 빠질 수 있다.

아홉 번째, 규칙적으로 운동한다. 규칙적인 운동은 뇌의 혈액순환을 좋게 만들어 숙면에 도움이 되는 것으로 알려졌다. 이른 아침에 유산소운동을 하거나 저녁 식사 전에 웨이트트레이닝을 하면 숙면에 효과적이다. 잠자리에 들기 직전에 하는 격렬한 운동은 교감신경을 자극해 오히려 숙면에 방해가 되기 때문에 저녁 식사 이후에는 가볍게 산책을 즐기는 정도가 숙면에 도움이 된다.

열 번째, 숙면에 대한 강박에서 벗어난다. 잠을 잘 자야 다음 날 일을 잘할 수 있다는 강박을 갖게 되면 잠을 자기 더욱 어려워진다. 다음 날 해야 하는 일이 머리를 맴돈다면 잠자리에 들기 2~3시간 전 다음 날 해야 할 일들을 기록해 보자. 그리고 각 문제의 해결책을 써본다. 잠자리에 들었는데 갑자기 걱정거리가 떠올랐다면 종이에 적어두고 다음 날 아침에 고민해 강박에서 벗어나보자. 그러기 위해서는 평소에도 종이와 펜을 침대 옆에 두는 것도 좋다.

마지막으로, 숙면에 도움이 되는 영양보충제의 도움을 받는다. 숙면을 취하는 고전적인 방법에는 잠들기 전 따뜻한 우유 한 잔 마시기가 있다. 멜라토닌 호르몬 성분인 멜라토닌 약을 먹어보는 것도 시도해 볼 수 있는 방법이다. 처음에는 0.5~3mg으로 시작하는데 취침 30분 전에 복용하면 된다.

영양제인 마그네슘을 먹는 것도 숙면에 도움이 될 수 있다. 녹차에 들어있는 테아닌도 불안을 완화해 숙면에 도움을 주기 때문에 잠이 잘 오지 않는다면 평소 녹차를 마셔보는 것도 도움이 된다.

참고문헌

1 Spyridaki EC, et al. Obesity, inflammation, and cognition. Current Opinion in Behavioral Sciences. 2016;9:169-175.
2 Prospective Studies Collaboration, Whitlock G, Lewington S, Sherliker P, Clarke R, Emberson J, Halsey J, Qizilbash N, Collins R, Peto R. Bodymass index and cause-specific mortality in 900 000 adults: collaborative analyses of 57 prospective studies.Lancet. 2009;373:1083-96.
3 Afzal S, et al. Change in Body Mass Index Associated With Lowest Mortality in Denmark, 1976-2013. JAMA. 2016;315(18):1989-96.
4 Caterson ID, et al. Gaps to bridge: Misalignment between perception, reality and actions in obesity. Diabetes Obes Metab. 2019;21(8):1914-1924.
5 Gardner CD, et al. Comparison of the Atkins, Zone, Ornish, and LEARN diets for change in weight and related risk factors among overweight premenopausal women: the A TO Z Weight Loss Study: a randomized trial. JAMA. 2007;297(9):969-77.
6 Thomas DM, Martin CK, Redman LM, et al. Effect of dietary adherence on the body weight plateau: a mathematical model incorporating intermittent compliance with energy intake prescription. Am J Clin Nutr. 2014;100:787–795.
7 Sainsbury A, et al. Rationale for novel intermittent dieting strategies to attenuate adaptive responses to energy restriction. Obesity Reviews. 2018;19 (Suppl. 1):47–60.
8 Unick JL. et al. Weight change in the first two months of a lifestyle intervention predicts weight changes 8 years later. Obesity. 2015;23(7):1353-56.
9 Westerterp-Plantenga MS, Lejeune MP, Nijs I, van Ooijen M, Kovacs EM. High protein intake sustains weight maintenance after body weight loss in humans. Int J Obes Relat Metab Disord. 2004;28:57-64.
10 Byrne NM, Sainsbury A, King NA, Hills AP, Wood RE. Intermittent energy restriction improves weight loss efficiency in obese men: the MATADOR study. Int J Obes (Lond). 2018;42:129–13.
11 Davoodi SH, Ajami M, Ayatollahi SA, Dowlatshahi K, Javedan G, Pazoki-Toroudi HR. Calorie shifting diet versus calorie restriction diet: a comparative clinical trial study. Int J Prev Med 2014;5:447–456.
12 Poggiogalle E, et al. Circadian regulation of glucose, lipid, and energy metabolism in humans. Metabolism. 2018;84:11-27.
13 Gan Y, et al. Shift work and diabetes mellitus: a meta-analysis of observational studies. Occup Environ Med. 2015;72(1):72–78.

14 Lee A, et al. Diurnal variation in glucose tolerance. Cyclic suppression of insulin action and insulin secretion in normal-weight, but not obese, subjects. Diabetes. 1992;41(6):750–9.

15 Gill S., Panda S. Diurnal Eating Patterns in Humans that Can Be Modulated for Health Benefits. Cell metabolism. 2015;22(5), 789-98.

16 Obayashi K, et al. Ambient Light Exposure and Changes in Obesity Parameters: A Longitudinal Study of the HEIJO-KYO Cohort. The Journal of Clinical Endocrinology & Metabolism. 2016;101(9):3539–3547.

17 Obayashi K, et al. Independent associations of exposure to evening light and nocturnal urinary melatonin excretion with diabetes in the elderly. Chronobiology international. 2014;31(3):394–400.

18 Hampton HS, et al. Postprandial hormone and metabolic responses in simulated shift work. J Endocrinol. 1996;151(2):259–67.

19 McHill AW, et al. Impact of circadian misalignment on energy metabolism during simulated nightshift work. Proc Natl Acad Sci USA. 2014;111(48):17302–7.

20 Jakubowicz D, Barnea M, Wainstein J, Froy O. High caloric intake at breakfast vs. dinner differentially influences weight loss of overweight and obese women. Obesity. 2013;21(12):2504-12.

21 McHill AW, et al. Later circadian timing of food intake is associated with increased body fat. Am J Clin Nutr. 2017;106(5):1213-19.

22 Scheer FA, et al. The internal circadian clock increases hunger and appetite in the evening independent of food intake and other behaviors. Obesity. 2013;21(3):421-3.

23 David E, et al. A Preprandial Rise in Plasma Ghrelin Levels Suggests a Role in Meal Initiation in Humans. Diabetes. 2001;50(8):1714-1719.

24 Chaix A, Zarrinpar A, Miu P, Panda S. Time-Restricted Feeding Is a Preventative and Therapeutic Intervention against Diverse Nutritional Challenges. Cell Metabolism. 2014;20(6):991–1005.

25 Chaix A, Lin T, Le HD, Chang MW, Panda S. Time-Restricted Feeding Prevents Obesity and Metabolic Syndrome in Mice Lacking a Circadian Clock. Cell Metab. 2019, 29, 303–319.

26 Antoni R, et al. A pilot feasibility study exploring the effects of a time-restricted feeding intervention on energy intake, adiposity and physiology in free-living human subjects. J Nutr Sci. 2018;7:e22.

27 Gill S. Panda S. A Smartphone App Reveals Erratic Diurnal Eating Patterns in Humans that Can Be Modulated for Health Benefits. Cell Metab. 2015;22:789–798.

28 Wilkinson MJ, et al. Ten-Hour Time-Restricted Eating Reduces Weight, Blood

Pressure, and Atherogenic Lipids in Patients with Metabolic Syndrome, Cell Metabolism. 2019, https://doi.org/10.1016/j.cmet.2019.11.004 .

29 Chaix A, Zarrinpar A. The effects of time-restricted feeding on lipid metabolism and adiposity. Adipocyte. 2015;4:319–324.

30 Osborne TB, Mendel LB, Ferry EL. The effect of retardation of growth upon the breeding period and duration of life of rats. Science. 1917;45:294–5.

31 McCay CM, Crowell MF, Maynard LA. The effect of retarded growth upon the length of life span and upon the ultimate body size one figure. J Nutr. 1935;10:63–79.

32 Colman RJ, et al. Caloric restriction delays disease onset and mortality in rhesus monkeys. Science. 2009;325,201–204.

33 Mattison JA, et al. Impact of caloric restriction on health and survival in rhesus monkeys from the NIA study. Nature. 2012;489, 318–321.

34 Arnold SE, Arvanitakis Z, Macauley-Rambach SL, et al. Brain insulin resistance in type 2 diabetes and Alzheimer disease: concepts and conundrums. Nat Rev Neurol. 2018;14:168-81.

35 Masiero E, et al. Autophagy is required to maintain muscle mass. Cell Metabolism. 2009;10:507–515.

36 Klein S, et al. Progressive alterations in lipid and glucose metabolism during short-term fasting in young adult men. Am J Physiol. 1993;265:E801-6.

37 Mansell PI, Fellows IW, Macdonald IA. Enhanced thermogenic response to epinephrine after 48-h starvation in humans. Am J Physiol. 1990 Jan;258(1 Pt 2):R87-93.

38 Ho KY, et al. Fasting enhances growth hormone secretion and amplifies the complex rhythms of growth hormone secretion in man. J Clin Invest. 1988 Apr;81(4):968–975.

39 Green MW, et al. Lack of effect short-term on cognitive function. Journal of Psychiatric Research. 1995;29(3):245-253.

40 Heilbronn LK, Smith SR, Martin CK, Anton SD, Ravussin E. Alternate-day fasting in nonobese subjects: effects on body weight, body composition, and energy metabolism. Am J Clin Nutr. 2005;81:6973.

41 Catenacci VA, et al. A randomized pilot study comparing zero-calorie alternate-day fasting to daily caloric restriction in adults with obesity. Obesity. 2016 ;24(9):1874–188.

42 Trepanowski JF, Kroeger CM, Barnosky A, Klempel MC, Bhutani S, Hoddy KK, Gabel K, Freels S, Rigdon J, Rood J, Ravussin E, Varady KA. Effect of Alternate-Day Fasting on Weight Loss, Weight Maintenance, and Cardioprotection Among Metabolically Healthy Obese Adults: A Randomized Clinical Trial.

JAMA Intern Med. 2017;177(7):930-938.

43 Gabel K, Kroeger CM, Trepanowski JF, Hoddy KK, Cienfuegos S, Kalam F, Varady KA. Differential Effects of Alternate-Day Fasting Versus Daily Calorie Restriction on Insulin Resistance. Obesity (Silver Spring). 2019;27(9):1443-1450.

44 Harvie MN, et al. The effects of intermittent or continuous energy restriction on weight loss and metabolic disease risk markers: a randomized trial in young overweight women. Int J Obes. 2011;35(5):714-27.

45 Kroeger CM, et al. Eating behavior traits of successful weight losers during 12 months of alternate-day fasting: An exploratory analysis of a randomized controlled trial. Nutr Health. 2018;24(1):5-10.

46 Ganesan K, Habboush Y, Sultan S. Intermittent Fasting: The Choice for a Healthier Lifestyle. Cureus. 2018;10(7):e2947.

47 Stekovic S, et al. Alternate Day Fasting Improves Physiological and Molecular Markers of Aging in Healthy, Non-obese Humans. Cell Metabolism. 2019;30(3):462-476.

48 Anton SD, et al. Flipping the Metabolic Switch: Understanding and Applying the Health Benefits of Fasting. Obesity. 2018;26(2):254-268.

49 Skytte MJ, et al. A carbohydrate-reduced high protein diet improves HbA1c and liver fat content in weight stable participants with type 2 diabetes: a randomised controlled trial. Diabetologia. 2019;62(11):2066-78.

50 Patterson RE, Sears DD. Metabolic Effects of Intermittent Fasting. Annu Rev Nutr. 2017;37:371-393.

51 Wang ZM, et al. Specific metabolic rates of major organs and tissues across adulthood: evaluation by mechanistic model of resting energy expenditure. Am J Clin Nutr. 2010;92(6):1369–1377.

52 Dashti HS, Scheer F, Saxena R, Garaulet M. Timing of Food Intake: Identifying Contributing Factors to Design Effective Interventions. Adv Nutr. 2019;10:606–620.

53 Felton AM, et al. Protein content of diets dictates the daily energy intake of a free-ranging primate. Behavioral Ecology. 2009;20(4):685–690.

54 Pearcey SM, de Castro JM. Food intake and meal patterns of weight-stable and weight-gaining persons. Am J Clin Nutr. 2002;76(1):107-12.

55 Levine ME, Suarez JA, Brandhorst S, Balasubramanian P, Cheng CW, Madia F, Fontana L, Mirisola MG, Guevara-Aguirre J, Wan J, Passarino G, Kennedy BK, Wei M, Cohen P, Crimmins EM, Longo VD. Low protein intake is associated with a major reduction in IGF-1, cancer, and overall mortality in the 65 and younger but not older population.Cell Metab. 2014;19(3):407-17.

56 Song M, Fung TT, Hu FB, Willett WC, Longo VD, Chan AT, Giovannucci EL.

Association of Animal and Plant Protein Intake With All-Cause and Cause-Specific Mortality. JAMA Intern Med. 2016;176(10):1453-1463.

57 Skytte MJ, et al. A carbohydrate-reduced high-protein diet improves HbA1c and liver fat content in weight stable participants with type 2 diabetes: a randomised controlled trial. Diabetologia. 2019;62(11):2066-2078.

58 Nishino K, Sakurai M, Takeshita Y, Takamura T. Consuming Carbohydrates after Meat or Vegetables Lowers Postprandial Excursions of Glucose and Insulin in Nondiabetic Subjects.J Nutr Sci Vitaminol. 2018;64(5):316-320.

59 Rodriguez-Segade S, at al. Continuous glucose monitoring is more sensitive than HbA1c and fasting glucose in detecting dysglycaemia in a Spanish population without diabetes. Diabetes Res Clin Pract. 2018;142:100-109.

60 Oh TJ, Lim S, Kim KM, Moon JH, Choi SH, Cho YM, Park KS, Jang H, Cho NH. One-hour postload plasma glucose concentration in people with normal glucose homeostasis predicts future diabetes mellitus: a 12-year community-based cohort study. Clin Endocrinol. 2017;86(4):513-519.

61 Peddinti G, Bergman M, Tuomi T, Groop LJ. 1-Hour Post-OGTT Glucose Improves the Early Prediction of Type 2 Diabetes by Clinical and Metabolic Markers. Clin Endocrinol Metab. 2019;104(4):1131-1140.

62 Ames BN. Prolonging healthy aging: Longevity vitamins and proteins. PNAS 2018;115(43):10836-10844.

63 Hill MH, et al. A vitamin B-12 supplement of 500 µg/d for eight weeks does not normalize urinary methylmalonic acid or other biomarkers of vitamin B-12 status in elderly people with moderately poor vitamin B-12 status. J Nutr. 2013;143(2):142-7.

64 Carmel R. How I treat cobalamin (vitamin B12) deficiency. Blood. 2008;112(6):2214–2221.

65 Wien TN, et al. Cancer risk with folic acid supplements: a systematic review and meta-analysis. BMJ. 2012;12;2(1):e000653.

66 Gröber U, et al. Magnesium in Prevention and Therapy. Nutrients. 2015;7(9):8199-226.

67 Prasad AS, et al. Zinc supplementation decreases incidence of infections in the elderly: effect of zinc on generation of cytokines and oxidative stress. Am J Clin Nutr. 2007;85:837–44.

68 Hemila H, Chalker E. Vitamin C for preventing and treating the common cold. Cochrane Database Syst. Rev. 2013;1:CD000980.

69 Shan Z, et al. Association of low-carbohydrate and low-fat diets with mortality among US adults JAMA Intern Med. 2020;DOI: 10.1001/jamainternmed.2019.6980.

70 King NA, Burley VJ, Blundell JE. Exercise-induced suppression of appetite: effects on food intake and implications for energy balance. Eur J Clin Nutr. 1994;48(10):715-24.

71 Moro T, et al. Effects of eight weeks of time-restricted feeding (16/8) on basal metabolism, maximal strength, body composition, inflammation, and cardiovascular risk factors in resistance-trained males. J Transl Med. 2016;14(1):290.

72 Trappe S, Costill D, Gallagher P, Creer A, Peters JR, Evans H, Riley DA, Fitts RH. Exercise in space: human skeletal muscle after 6 months aboard the International Space Station. J Appl Physiol. 2009;106(4):1159-68.

73 Chang DG, et al. Lumbar Spine Paraspinal Muscle and Intervertebral Disc Height Changes in Astronauts After Long-Duration Spaceflight on the International Space Station. Spine. 2016;41(24):1917-1924.

74 Duvivier BMFM, Bolijn JE, Koster A, Schalkwijk CG, Savelberg HHCM, Schaper NC. Reducing sitting time versus adding exercise: differential effects on biomarkers of endothelial dysfunction and metabolic risk. Sci Rep. 2018;8(1):8657.

75 Morris JN, Heady JA, Raffle PAB, Roberts CG, Parks JW. Coronary heart disease and physical activity of work. Lancet. 1953;265:1053-1057.

76 Levitan EB, Song Y, Ford ES, Liu S. Is nondiabetic hyperglycemia a risk factor for cardiovascular disease? A meta-analysis of prospective studies. Arch Intern Med. 2004;164:2147-2155.

77 Nygaard H, Tomten SE, Høstmark AT. Slow postmeal walking reduces postprandial glycemia in middle-aged women. Appl Physiol Nutr Metab. 2009;34:1087–1092.

78 Dunstan DW, et al. Breaking up prolonged sitting reduces postprandial glucose and insulin responses. Diabetes Care. 2012;35:976–983.

79 Kripke DF, et al. Mortality associated with sleep duration and insomnia. Arch Gen Psychiatry. 2002;59(2):131-6.

80 Taheri S, et al. Short sleep duration is associated with reduced leptin, elevated ghrelin, and increased body mass index. PLoS Med. 2004;1(3):e62.

호르메시스와
간헐적 단식

초판 1쇄 발행 2020년 3월 26일
초판 5쇄 발행 2023년 2월 8일

지은이 박용우
펴낸이 김능구
펴낸곳 도서출판 블루페가수스

책임편집 정은아
디자인 데시그
마케팅 최치환
SNS 홍보 이선미
경영지원 정성훈

출판등록 2017년 11월 23일(제2017-000140호)
주소 07327 서울시 영등포구 여의나루로71 동화빌딩 1607호
전화 02)780-4392 **주문팩스** 02)782-4395
원고투고 이메일 hanna126@hanmail.net

ⓒ 2020 박용우

ISBN 979-11-89830-06-9 03510

* 책값은 뒤표지에 있습니다.
* 잘못된 책이나 파손된 책은 구입하신 서점에서 바꾸어드립니다.